Papagayo rojo, pata de palo

GREGORIO KOHON

Papagayo rojo, pata de palo

libros del
Zorzal

A863   Kohon, Gregorio
KOH   Papagayo rojo, pata de palo . – 1ª ed. – Buenos Aires :
       Libros del Zorzal, 2003.
          208 p. ; 22x15 cm.

       ISBN 987-1081-14-6

       I. Título - 1. Narrativa Argentina

ILUSTRACIÓN DE TAPA
CARLOS SAPOCHNIK

FOTO DE SOLAPA
REX ADDISON

DISEÑO
IXGAL

ISBN 987-1081-14-6

Libros del Zorzal
Printed in Argentina
Hecho el depósito que previene la ley 11.723

Para sugerencias o comentarios acerca del contenido de
Papagayo rojo, pata de palo, escríbanos a: info@delzorzal.com.ar

www.delzorzal.com.ar

Agradecimientos

El Conde de Lautréamont quería que la poesía fuera escrita por todos, no por una persona sola. Ciertamente, esta novela fue escrita por muchos. A veces, voluntariamente, otras veces, sin saberlo, ellos han contribuido con sus historias y sus sueños, con sus conversaciones y sus fantasías. Las críticas y los comentarios ofrecidos por amigos a las distintas versiones del texto contribuyeron a sobrevivir la amenaza de un posible naufragio. Que *Gregorio Kohon* aparezca como el autor de esta novela es un triunfo más de la imaginación. El manuscrito, comenzado una tarde agobiante en La Casa en el Aire, en The Gap, pasó largas horas laboriosas en una oficina de Spring Hill, gozando intermitentemente del ocio creador de las noches tropicales de Noosa, acompañado de Guajira. En Australia, contribuyeron activamente los siguientes amigos: Rosie Scott, Danny Vendramini, Janet Irwin, Ben Steinberg, Susan Addison, John Ratcliffe. El apoyo inicial de Jill Kitson fue esencial. Más tarde, la historia sobrevivió los cambios climáticos, los avatares de nuestra suerte, y los viajes en el subterráneo entre Hampstead y Golders Green. A cada paso se sumaba otro autor, imposible nombrarlos a todos: Eduardo Shaio, Viqui Rosenberg, Carlos Sapochnik, Andrea Wilson, Moris Farhi. Pedro Shaio, todavía en Bogotá, fue mi primer editor y crítico; su humor y perspicacia han sido incomparables. Carola DeGreef, desde Buenos Aires, fue la traductora única de mis sueños; su compromiso con los personajes de la novela fue conmovedor. Mariela, Silvana y Sebastián, una vez más, fueron mis *fans* y críticos inigualables. Especial mención debo hacer de Psique, el papagayo de Cambridge. Valli es, simplemente, la co-autora de todo lo que escribo.

*Para Antonio Dal Masetto,
que conoció una gallina con una pata de palo.*

Indice

... verdadero sólo como la ficción puede serlo.
Emmanuel Lévinas

1965

Parte I

1

Cucarachas. Ah, las invencibles.

Habían derrotado el tiempo, la Edad de Hielo, venenos potentes y estrategias profesionales. Las indomables.

Río de Janeiro estaba llena de cucarachas.

Se enamoró de inmediato de esa ciudad, de sus avenidas paralelas al mar, los morros, la forma de sonreír de la gente, su forma de caminar. Y esas mujeres: hacían arder el mundo con sus caderas.

Había conseguido a través de Bernabé Souza –un poeta amigo que trabajaba para la embajada brasileña– un pasaje en el avión militar que llevaba y traía a los artistas, las valijas diplomáticas, los pobres y los deportados. El avión no tenía asientos; la gente viajaba como verdaderos paracaidistas, sentados en dos filas de bancos de metal a lo largo del avión. Ese día, los únicos pasajeros eran él y una mujer negra que llevaba a un chiquito en su falda. Sentada enfrente, con la mirada ausente, parecía asustada y quizás estuviera rezando. Le sonrió. La mujer no respondió.

Era su primer viaje en avión: el aparato crujía y se sacudía; el frío que se filtraba por todos lados era insoportable. Sin un Dios que lo protegiera, Daniel no sólo tenía miedo, también se sentía abandonado.

Alquiló una habitación en un departamento cerca del mar en Copacabana. Tenía una cama demasiado corta, una mesa con una lámpara rota y un ropero viejo con olor a humedad. Apenas si había lugar para abrir la puerta.

La dueña era una mujer de unos treinta y pico de años que vivía en el departamento con su hija adolescente; se ganaban la vida como lavanderas. Para llegar a su habitación, él tenía que pasar por un patio lleno de sábanas, ropa interior, blusas, jeans, remeras, medias, toallas, calzones. Mientras trabajaban, madre e hija cantaban canciones románticas:

Adeus, meu amor,
O mar está me-esperando...

Se reían, hablaban de él y le tomaban el pelo. Lo hacían sentirse deseado.

A la noche, su vida cambiaba. Las criaturas repugnantes, sus cuerpos ovalados y aplanados, invadían sus sueños. Cucarachas por todos lados. Mientras se iba quedando dormido, sentía bajo las sábanas el roce de las antenas contra su piel, oía el rasguido de sus patas contra los diarios que había dejado en el suelo. Se quedaba acostado escuchando, tenso, anticipando las visitas inevitables, inventando estrategias para resistir la invasión. Decidió no darse por vencido. Se iba a entrenar para atraparlas, convencido de que podría vencerlas, las malditas *blattellae germanicae*. Todas las noches encendía un par de velas y esperaba su llegada. Libros, pelotas de tenis, pedazos de pan viejo y zapatos no eran eficaces. Un almohadoncito pequeño pero firme era su mejor arma: atontaba a los monstruos lo suficiente para convertirlos en una presa fácil. Su cacería nocturna empezó con cinco especímenes: cuanto más perfeccionaba su técnica, más cucarachas atrapaba. En una ocasión excepcional, llegó a treinta y seis. Las ponía en bolsitas de plástico opacas y mientras las dos mujeres dormían las escondía en el fondo del congelador, detrás de los paquetes de carne. A la noche siguiente, reemplazaba la bolsita del día anterior por una nueva. Las cucarachas congeladas y definitivamente muertas iban a parar a la basura.

Supuestamente, ese viaje a Río iba a ser una aventura corta. Sin embargo, sin poderse decidir qué hacer con su vida, simplemente perdió el vuelo de regreso. Después, renunció a su empleo en Buenos Aires y les escribió a sus padres una larga carta, llena de explicaciones imprecisas. Sólo unas semanas atrás se había celebrado la publicación de su libro de poemas con una fiesta en una galería de arte de la calle Florida: bandas de rock locales, gente bailando hasta la madrugada. La celebración había terminado en una estampida provocada por dos policías borrachos. Al día siguiente, los titulares de un matutino mentían: "Fiesta de escritor comunista termina en tiroteo". Esa mañana, Damián –uno de sus mejores amigos– lo había ayudado a esconder las publicaciones y los libros compremetedores. Después, anduvo viviendo en distintos lugares hasta que pasó el alboroto. La edición del libro se agotó.

Al poco tiempo de su llegada a Río, recitó sus poemas en la Universidad Católica, habló en la radio, le hicieron entrevistas para la televisión y hasta escribió críticas de teatro para una revista literaria. Todo era posible. Río se ofrecía a ser conquistada. Tuvo suerte: a través de amigos y contactos, recibió un subsidio del gobierno del Brasil para escritores y artistas extranjeros. Una de esas contradicciones de los gobiernos latinoamericanos: por un lado, la represión; por el otro, el apoyo al arte y a la literatura. Con el cambio de ese momento, cuatrocientos dólares representaban una pequeña fortuna. Inmediatamente, llamó a Luigi y lo invitó a venir.

Por su parte, Luigi había decidido sumarse a la aventura, incluso antes de saber lo del subsidio. Notificó a sus empleadores, hizo copiar el manuscrito de su novela para llevársela a Río y se despidió de sus dos novias (lunes, miércoles y viernes, con Iris; martes, jueves y domingos, con Hortensia; sábados, religiosamente libres). En el trayecto, conoció al líder de una oscura secta de espiritistas; bajaron del avión abrazándose mientras cruzaban la pista de aterrizaje. Daniel los miraba de lejos: se abrazaron de nuevo, continuaron hablando, se dieron la mano y finalmente se separaron.

Luigi traía una carta de la familia de Daniel y cajas de cigarrillos negros, sus preferidos. El espiritista le había dado el nombre y la dirección de alguien que quizás los alojara gratis. Dada su guerra personal y secreta contra las *germánicas*, aceptó con entusiasmo la sugerencia de Luigi.

La dirección estaba cerca del comedor estudiantil de la Universidad, llamado *o calabouço*. Pasaron frente a las tiendas de ropa y bijouterie barata, la plaza ruidosa, la comisaría. Daniel quería saber las últimas novedades de la Argentina. Luigi, a su vez, lo bombardeaba con preguntas: ¿dónde vivía? ¿Había salido con brasileñas? ¿Había cogido? ¿Qué tal eran las playas? Estaban contentos de estar juntos.

Un joven negro, alto y delgado les abrió la puerta. Los estudió con la mirada:

–¿Quiénes son ustedes? La puerta del frente está siempre cerrada, ¿cómo entraron?

–No estaba cerrada –contestó Daniel. Odiaba sentirse intimidado. Luigi le pasó la carta de presentación. El hombre llevaba un hueso de animal blanco y alargado colgando de su oreja derecha, un amuleto contra el mal de ojo. De su oreja izquierda colgaba un pendiente de madera, diminuto y delicado: un pulgar insertado entre dos dedos de un puño cerrado. Después de leer la carta con aparente desdén, los hizo pasar.

La sala era amplia y oscura; en las paredes no había cuadros y de la ventana colgaba un terciopelo barato de color azul a manera de cortinas. A un lado de la sala había una mesa redonda cubierta con un mantel de plástico con grandes flores rojas y blancas. El lugar necesitaba una buena limpieza y pedía a gritos un poco de aire fresco. Había dos hombres negros sentados a la mesa, arreglándose las uñas. El tipo que había abierto la puerta, ya más relajado, se encargó de presentarlos:

–Me llamo Sócrates. Éstos son mis amigos Amadeu y Fulvio, nuestras *pommes de terre en robe de chambre*.

¿Papas en salto de cama? ¿Era un juego de palabras o un chiste privado?

–*Mais oui, Messieurs*, somos ¡calientes! –agregó Fulvio. Los tres se sonrieron sugestivamente. Amadeu, el más feo, les preguntó si eran espiritistas. Luigi dijo que eran escritores, que querían una habitación. Gratis. Después de otro intercambio de miradas sugerentes, Sócrates preguntó:

–¿Ustedes creen en los espíritus? –no les dió tiempo a contestar–. Nada es más importante en la vida, el espíritu es nuestra parte más esencial; es lo que hace posible las relaciones entre los vivos y los muertos. Sin espíritu, la vida no tiene sentido.

–El espíritu es lo único que sobrevive a nuestros cuerpos cuando morimos, y todos morimos, tarde o temprano –agregó Fulvio–. El espíritu, al desprenderse del cuerpo, vive para siempre en otro mundo.

–¡Sí! –acordaron los otros.

Quizás era preferible vivir con las *germánicas*. Daniel miró a Luigi, tratando de adivinar lo que pensaba. Los dos se habían hecho amigos hacía apenas un año, pero se conocían bien; el silencio de Luigi no llegaba a esconder su impaciencia. Finalmente, se hizo oír: él estaba en contra del espiritismo, no tanto como sistema filosófico sino como doctrina religiosa.

–Las consecuencias del espiritismo han tenido que ser reconocidas en filosofía porque nadie en su sano juicio podría negar la existencia de una realidad inmaterial, imperceptible para nuestros sentidos. Yo, personalmente, apoyo a Giovanni Gentile, para quien la única realidad es la pura actividad de la autoconciencia.

Los tres brasileños parecían haber perdido el rastro y trataban de recuperar sus fuerzas. Según Sócrates, las pruebas de materialización se remontaban a mucho tiempo atrás, a los tiempos bíblicos:

–El espíritu del profeta Samuel se le apareció a Saúl cuando el Rey fue a visitar a la bruja En-dor, se materializó frente a él en forma de espectro furioso. ¿Eso no significa nada para vos? Está en el Antiguo Testamento, ¿cómo podés ignorar una prueba así?

–Muy fácil. El pobre Rey Saúl estaba completamente piantado; tenía tanto miedo por la batalla que se le venía encima que se le aflojó un tornillo. ¿Cómo pueden creer en lo que dijo un hombre que tendría que haber estado internado en un loquero? De todos modos, sabemos por Spinoza que en ninguna parte de la Biblia se dice que el alma es inmortal.

Daniel sintió que era el momento de ganar terreno: dio un paso adelante, tomó dos sillas y las puso frente a Sócrates. Se sentaron frente a él, en silencio. Finalmente, les ofrecieron té y ellos aceptaron. Sócrates fue a la cocina, Fulvio y Amadeo retomaron su manicura, Luigi abrió otro paquete de cigarrillos. Después, todos tomaron té helado con azúcar y limón, y comieron masitas de coco y *pupunha*, una fruta del Amazonas. Al rato, Daniel preguntó:

–¿Y? ¿Qué pasa con la habitación?

–Si quieren, se pueden mudar esta noche –dijo Sócrates.

En las calles, los que trabajaban en las oficinas y en los negocios de la zona habían salido para almorzar. El calor era agobiante. Para algunos, interrumpir el trabajo era una excusa más para tomar otro café, otra cerveza en los bares. La gente hablaba y gritaba y discutía de fútbol, y unos pocos, igualmente apasionados, de política.

–¡Ese encuentro sí que fue raro! No sabía que conocías la Biblia. ¿De dónde sacaste toda esa mierda sobre el espíritu?

–Viene de la religión, nunca te lo conté, pero yo quería ser cura. Era joven y andaba perdido; el sexo se me estaba convirtiendo en un problema. No daba más: tenía erecciones permanentes, fantasías eróticas constantes, acababa cada noche en mis sueños. Una vez traté de cogerme a mi hermana, que me lleva dos años. No podía dejar de masturbarme, me estaba volviendo loco. Ingresar al seminario, aunque era una medida extrema, me parecía lo más natural del mundo. También se me ocurrió que quería ser filósofo y había pensado, equivocadamente, que los seminarios serían un buen lugar para la filosofía.

–Entonces te enganchaste más por la filosofía que por la religión.

–Por las dos cosas.

–¿Y qué pasó?

–No mucho. La cosa no anduvo y al año lo dejé. Al final, me decepcioné; llegó un momento en que no aguanté más.

–¿Qué no aguantaste?

–La manera en que hinchan las bolas con el sexo y las mujeres.

–Pero todas las religiones joden con el sexo y con las mujeres. Mirá a los judíos, mirá a los musulmanes. ¿Te creés que son mejores que los católicos? Es la misma mierda con distinto olor.

–No hay otra religión tan opuesta a la vida. Odian a las mujeres.

–¿Sabías que los hombres judíos tienen que rezar todas las mañanas, agradeciéndole a Dios por no haberlos hecho mujeres?

–Ya sé. Pero también tienen el deber de hacerle al amor a sus mujeres los viernes a la noche –retrucó Luigi–. Es uno de los mandamientos de Dios: satisfacer a tu mujer ese día es una obligación divina.

–Pero vos, ¿qué sabés? ¡Si no tuviste una madre judía!

Llegaron hasta una playa céntrica, chica y no muy atractiva. Se sentaron en la arena.

–¿Ése es el Pan de Azúcar? –preguntó Luigi–. Lo vi tantas veces en películas y en fotos que no puedo creer que de verdad exista.

Había un teleférico que llevaba a la gente hasta la cima del morro.

–Ver la ciudad desde ahí arriba es increíble –le contó Daniel.

Había empezado a soplar una brisa suave. Esa playa contaminada no era el mejor lugar para hacerle conocer las delicias del mar carioca a Luigi, pero Daniel no tenía ganas de ir más lejos.

Desde el comienzo de su amistad, se habían llevado bien. Por ese entonces, Daniel había considerado la posibilidad de ser actor. Tenía diecinueve años y lo habían invitado a participar en una producción independiente de *Los jugadores*, de Gogol. Hortensia, una de las dos novias de Luigi, estaba a cargo del maquillaje; muchas veces lo había invitado a Luigi a unirse al grupo de actores para compartir un trago después de las funciones.

Luigi era unos cuatro años mayor y ya había publicado varios cuentos en revistas literarias. Hijo de inmigrantes italianos, campesinos pobres de las montañas de Catanzaro, en Calabria, era bajo y macizo; en sus manos pequeñas, endurecidas por los días en que había trabajado de carpintero en obras de construcción, siempre había un cigarrillo. Sus ojos celestes resaltaban en su tez oscura. Al principio, parecía tímido y reservado, pero enseguida aparecía su humor cáustico; entonces, se ponía conversador, gracioso y elocuente, un éxito instantáneo con las mujeres.

Como tantos otros, el padre de Luigi se había unido al movimiento anarquista desde su llegada a Buenos Aires. Era la época del escándalo de Sacco y Vanzetti en los EE.UU., de las bombas caseras arrojadas a la policía, de escribir para el semanario *Vita Libertaria*. Mientras su padre pasaba gran parte de su tiempo organizando huelgas, la familia vivía de los magros ingresos de su madre, que trabajaba de mucama en casas de familias ricas:

—Mis padres eran muy parcos con las palabras, supongo que sólo intercambiaban las indispensables para sobrevivir.

Al principio, le costaba aceptar los silencios de Luigi. Daniel venía de una familia extrovertida y gritona: más que hablarse, se ladraban y se gruñían. Toda esa actividad vocal se llevaba a cabo en idish; siempre sonaba más agresiva de lo que era en realidad.

Apenas se sentaron en el arena, Luigi sacó una botella de vodka de su mochila.

—Me la dio mi vieja en el aeropuerto. Pensó que la íbamos a necesitar. Se la regaló un vecino polaco que, según sospecho, está enamorado de ella.

—¿Qué edad tiene tu mamá?

–Cincuenta y dos. Se viste toda de negro como una viuda mediterránea tradicional. Todavía es muy atractiva, hay muchos hombres que le andan detrás.

El líquido, de un color ámbar, no era un vodka común. La etiqueta decía "For export".

–¡Sesenta por ciento de alcohol, carajo! Esto nos va a matar –el primer trago no le cayó bien, tenía el estómago vacío; después de un rato, cuando ya iba por el cuarto, no le importaba más nada.

–Esto es veneno puro, viejo. No podemos seguir tomando –Luigi procedió a vaciar el resto del líquido en la arena, feliz. Estaba borracho.

–La última vez que nos vimos –dijo Daniel, también definitivamente borracho–, rompió una ventana de una trompada y se hizo mierda el brazo derecho. Fue horrible.

–¿De quién estás hablando?

–De Lola. Le dieron qué sé yo cuántos puntos, se cagó un tendón.

–Olvidate de Lola, viejo. Eso se terminó, kaput. Hoy no hay lugar para la melancolía.

Luigi se sacó del bolsillo un marcador y escribió una nota en un papelito. Decía: "Estoy tan lejos, tan solo, tan alto". Arrolló el papel y lo metió en la botella; encontró un corcho en la arena y la tapó con él. Corrió hacia el mar y arrojó la botella con todas sus fuerzas; las pocas personas en la playa lo ignoraron. Pudieron escuchar el salpicón a la distancia. Luigi volvió y se sentó de nuevo.

–Espero que llegue a París.

–¡Para Cortázar! –agregó Luigi, entusiasmado.

–Che, ¿te parece que volvamos al Palacio del Espiritismo? ¿Son de confiar esos tipos? Algo de guita tenemos, podemos alquilar otro lugar.

Luigi se puso serio y se quedó callado. Daniel no podía entender qué había dicho de malo.

–Descubrimos que había sido el cura del pueblo. Mi vieja lo quiere matar.

Comprendió de inmediato: la hermana de Luigi había tenido un varón justo antes de que Daniel se fuera de viaje.

–¿Es el padre del bebé?

–Sí.

Daniel explotó de risa, tuvo que levantarse para no ahogarse, no se podía contener. Le empezaron a doler el estómago y la mandíbula.

–¡La puta que te parió, hijo de puta! ¡Ignorante!

Y finalmente:

—¡Judío de mierda! —sabía que eso lo iba a parar.

Daniel le pegó una trompada en el hombro; Luigi se la devolvió con un cross derecho a la cabeza. Se engancharon en un abrazo de lucha libre. La pelea fue en serio, pero no duró mucho.

—Creo que estamos a mano —dijo Daniel.

—Y yo creo que vos estás loco —le contestó Luigi.

De inmediato, Daniel empezó a recitar:

> *No meio do caminho tinha uma pedra*
> *tinha uma pedra no meio do caminho*
> *tinha uma pedra*
> *no meio do caminho tinha uma pedra.*
> *Nunca me esquecerei desse acontecimento...*

Parecía mentira: ese poema irreverente de Carlos Drummond de Andrade había revolucionado la poesía brasileña. Quizás, después de todo, había cierta justicia en el mundo.

Decidieron ir a buscar las cosas de Daniel y mudarlas al departamento de los espiritistas. A través de las ventanas pequeñas del *lotaçao*, la playa pasaba a toda velocidad, más hermosa que nunca. Copacabana estaba a pleno: ancianas paseando sus perros, hombres cuarentones trotando, jóvenes refrescándose en el agua, prostitutas haciendo las compras. Cuando Luigi vio a una chica en bikini, le gritó, todavía contento por el vodka:

—¡*Cara, ti amo, chè bella sei, bellissima!*

El departamento estaba en el segundo piso. Subieron corriendo las escaleras hasta la entrada, justo cuando la hija de la dueña estaba sacando la basura:

—¡Mamá, mamá! ¡Acá está, acá está!

Al cruzar el umbral, se encontraron cara a cara con la dueña.

—¡Bruto! ¡Sucio! ¡Animal! ¡Te denuncié a la policía!

Le llevó unos segundos acordarse de la última caza de cucarachas, prolijamente escondidas en el fondo del congelador. Corrió hacia su habitación mientras la dueña se las había agarrado con Luigi, que no sabía nada de las cucarachas y estaba confundido ante tanta furia. Metió su ropa en una valija, guardó sus libros en una bolsa de plástico, recogió apresuradamente su cepillo de dientes y el dentífrico del baño y salió, con Luigi a la rastra. Desde el palier, le gritó:

—¡Y yo te voy a denunciar al Ministerio de Salud Pública, boluda de mierda!

Cuando llegaron a la calle, le explicó a Luigi lo de las *germánicas.*

—Ah, yo pensé que te habías cogido a su hija y que estaba celosa.

Al llegar a la casa de los espiritistas, Sócrates abrió la puerta y pareció alegrarse de verlos. Tenía puesto unos shorts de fútbol anaranjados, ajustados y provocadores, y una blusa corta con la cara de Carmen Miranda, con frutas y todo, impresa en la espalda. Tenía los ojos maquillados de azul oscuro y los labios pintados de rojo. Se agachó para ayudarlos con los bultos, asegurándose de mostrar sus senos redondeados, casi perfectos. Ni rastros de la hostilidad del principio.

Sócrates los acompañó a la habitación. Era espaciosa; a pesar de las ventanas grandes, no había mucha luz. Había un sofá cubierto por una piel de leopardo falsa, un enorme armario de estilo antiguo con un espejo en el medio y una cama doble.

—¿Les parece bien? —después, les gritó desde el pasillo—: El baño está acá al lado. Es el único que hay, así que lo compartimos entre todos.

—Bueno, la habitación es grande y es gratis —dijo Luigi al cerrar la puerta—. No nos podemos quejar.

Daniel acomodó sus libros en el antepecho de la ventana y Luigi agregó su propia colección: Salvatore Quasimodo, Jorge Amado, Raúl González Tuñón, Roberto Arlt, Cesare Pavese.

—No está mal, ¿eh? Hasta tenemos una biblioteca de autores esenciales —bromeó Luigi.

—Estoy muerto de cansancio —dijo Daniel.

Arreglaron las almohadas, una para cada cabecera. Se acostaron, fumaron un cigarrillo y se durmieron.

Cuando se despertó, la habitación estaba impregnada de olor a plátano frito. Eran las siete de la tarde; el descanso lo había hecho revivir. Camino a la ducha, pudo escuchar la voz de Luigi que llegaba desde otra habitación. Las baldosas que rodeaban la bañera, blancas en un pasado remoto, estaban amarillentas. Con el reflejo de la luz del foco que colgaba del cielo raso, el baño tenía el aspecto surrealista de un set de filmación.

Después de secarse y ponerse ropa limpia, se dirigió a la cocina, donde encontró a Luigi sentado en un rincón. Mientras preparaban la cena, los tres hombres negros no paraban de criticar acaloradamente al gobierno; querían que el presidente tomara medidas económicas más eficientes.

–Necesitábamos un tipo con mano dura –enfatizó Fulvio–, alguien que las tenga bien puestas. Por éso apoyamos al gobierno; *Jango* Goulart era demasiado liberal. La democracia no es buena para nosotros. Está claro, se necesitaba un golpe militar.

–Ustedes no conocen este país –señaló Sócrates–. Nosotros no somos civilizados como la Argentina.

¡Qué ironía! Travestis, pobres y desocupados, se debían ganar la vida haciendo changas para sus pocos amigos, quizás hasta dejándose coger de cuando en cuando por unos pesos, y sin embargo, reaccionarios hasta la médula. "Che Guevara", pensó Daniel, "no hay esperanza".

Sócrates y compañía pusieron la mesa y prendieron velas en el living. Luigi parecía estar pasándola muy bien, ayudado considerablemente por la *cachaça*. Daniel iba a tener que tomar bastante para alcanzarlo. Amadeu le ofreció una *caipirinha*, preparada con gran devoción.

–La mejor que probé hasta ahora –dijo a manera de cumplido.

Los brasileños se habían puesto su mejor ropa, estaban deslumbrantes en sus brillantes pantalones ajustados y blusas de satin estampadas con una variedad de flores. Los invitaron a sentarse a la mesa. Fulvio había preparado *caruru*, un plato a base de *garoupa*, quimbombó, camarones y pimienta malaguetta; ni comparación con la comida del *calabouço* estudiantil.

–Mi mamá me enseñó a cocinar –dijo Fulvio sin que nadie le preguntara–. Cuando papá no estaba, ella me vestía de nena y jugábamos a que yo era su hijita. Me divertía tanto, nunca me sentí tan querida.

–¿Y tu novio abogado, nena? Él también te quería –intervino Sócrates con malicia. Todo el mundo largó la carcajada.

–Eso era luuuujuuuuria –contestó Fulvio arrastrando las primeras vocales y extendiendo sus labios abiertos, simulando un beso
exagerado–. Lujuria pura, sin diluir.

–Estaba muy bueno ese tipo, ¿no?, era guapísimo –intervino
Amadeu.

–Estaba loco, se quería casar conmigo. Un día me presentó a los
padres, una familia pudiente de Manaus, ¿se imaginan? ¡*Meu São
Cristóvão preto!* Fuimos a la ópera en el Teatro Amazonas, a ver
Manon Lescaut. Yo lloré tanto que sus padres decidieron que era una
desequilibrada y se opusieron a que siguiéramos juntos. Me había
puesto un vestido con un escote grande y mi futuro suegro no podía
dejar de mirarme las tetas.

Al finalizar la cena, Sócrates trajo café. Después de todas las
caipirinhas y el *caruru*, los ánimos se habían calmado; la excitación
y el barullo habían desaparecido.

La hora de las confesiones.

Sócrates venía de los alrededores de la ciudad de Cuiaba, punto
de partida de las exploraciones del Pantanal. Había nacido el día de
la fiesta de San Benedito, a principios de julio. Por muchos años, Sócrates creyó que en ese día todo el mundo en la ciudad festejaba su
nacimiento. Había llegado al mundo con una buena estrella y lo habían bautizado en la Capilla de San Benedito. Al bautismo le había
seguido una ceremonia *Umbanda*, con danzas africanas y comidas
tradicionales. Cuando se terminaron los festejos, Sócrates se enfermó. Temían por su vida; los médicos no lograban bajarle la fiebre; incluso tuvo un par de convulsiones que despertaron el pánico de sus
padres. La abuela de Sócrates, que hasta ese momento no había intervenido, sugirió que llamaran a un viejo curandero, el *pajé* de los
indios Bororo del Pantanal.

El *pajé*, Sócrates y su padre se pasaron treinta y seis horas encerrados en una choza. Durante ese tiempo, el *pajé* cantó, bailó,
mató un par de gallinas y prendió varias fogatas. Después, al finalizar las ceremonias, declaró que la criatura estaba curada.

Años más tarde, el padre le explicó a Sócrates que –según el
pajé– él era la reencarnación de un travesti de la tribu *Guiacuru*, un
grupo de indios nómades que solían llevar travestis en los viajes largos en los que estaban separados de sus mujeres. En esa ceremonia

el curandero había rebautizado a Sócrates con el nombre de Carmela; según su padre, quien lo había llamado Carmela toda la vida, eso lo había salvado; para el resto de la familia, seguía siendo Sócrates.

Para complementar sus ingresos, sus padres tomaban pensionistas de paso. Cuando Sócrates tenía diez años, un joven francés de bigotes largos y ronca voz había pasado varios meses en su casa, entre idas y venidas. Había dicho que era zoólogo, pero en realidad se dedicaba en secreto a uno de los negociados más rentables del Pantanal. Contrabandeaba toda clase de animales entre las fronteras de Bolivia y Paraguay utilizando una flotilla de avionetas: osos hormigueros gigantes, jaguares, anacondas e iguanas, monos aulladores negros y guacamayos azules, tucanes, pájaros espinos, garzas y pájaros carpinteros, peces de río difíciles de hallar y, sobre todo, yacarés, para hacer carteras y zapatos con su piel.

Para que no lo descubrieran, el francés iba de un lado a otro del Pantanal, vivía en casas de familia, compraba con dinero y cognac francés diluido el silencio de las autoridades. La casa de Sócrates era uno de sus refugios preferidos porque quedaba cerca del prostíbulo. Tenía a Sócrates bajo el ala y le había enseñado unas palabras en francés: *la bouche, le soleil, le paysage*. También lo introdujo a *La Vie Privée de Marie-Antoinette*, un libro con ilustraciones eróticas, incluyendo los graciosos encuentros de la reina con sus damas de compañía. Sócrates pasaba horas mirando los dibujos en las tardes cansinas de la estación de lluvias, mientras el contrabandista francés le traducía los epígrafes, explicaba el texto y seguramente agregaba sus propias historias fabuladas.

Así fue que Sócrates se obsesionó con María Antonieta: empezó a hacer retratos de ella y pinturas de un *Petit Trianon* imaginario, su sala de retiro rústica. Quería saber todo sobre Versalles, los saqueos de las Tullerías, la Revolución Francesa. El francés le contó que Luis XVI era impotente y que por eso María Antonieta había desviado su interés sexual hacia las mujeres. Le describía sus relaciones con la delicada Princesa de Lamballe y la atractiva Condesa de Polignac, sus aventuras amorosas con Lucie Dillon y Madame Balbi. Sócrates absorbía esas historias con la misma fascinación con la que otros chicos escuchaban Caperucita Roja.

Un aspecto lo había impresionado particularmente: el asesinato de la Princesa de Lamballe, su mutilación, la manera en que la multitud borracha y enardecida llevó su cabeza en una punta de lanza a la prisión de María Antonieta para obligarla a besar los labios de la que fuera su amante.

–Era la historia de amor más romántica que había escuchado en mi vida. Me sentí muy cerca de María Antonieta; muchas veces soñaba que estaba en esa prisión, viviendo los últimos días de su vida. Más tarde, en mi adolescencia, gané varios premios de Carnaval por mi disfraz de María Antonieta.

Al mismo tiempo, Sócrates empezó a tener frecuentes trances hipnóticos, con visiones, alucinaciones y raptos de misticismo que terminaban en intentos de suicidio, por lo general tratando de ahogarse tragándose la lengua. Sus padres estaban convencidos que quería morir para reencarnarse en mujer. Lo llevaron a un curador espiritista, que declaró que el curandero Bororo se había equivocado, que había hecho una interpretación errónea de la situación; entonces, procedió a rebautizarlo Sócrates. Él se sintió renacer. Como era previsible, pasó a formar parte de la iglesia del sanador y se mudó a Río.

–*Voilà! C'est tout!* –dijo Sócrates. Todos se quedaron en silencio, pensativos.

Después de un largo rato, Luigi se puso a hablar con Sócrates mientras Fulvio y Amadeu se susurraban algo al oído. Daniel se quedó solo en un rincón del cuarto, contento de estar simplemente sentado, mirando a los demás, pensando: "¿Acaso Sócrates se estará enamorando de Luigi?" De inmediato, descartó esa posibilidad.

Estaba contento de haberse mudado; no la había pasado tan mal (excepto por las *germánicas*) pero viviendo en Copacabana se había sentido demasiado turista. Las principales pasiones brasileñas eran el fútbol y los juegos de azar, que iban acompañados por un respeto anárquico por la poesía, el arte en general, la arquitectura, la música, la danza. Esa mezcla le caía muy bien. No quería seguir siendo un "extranjero".

Entre todos lavaron los platos, limpiaron la mesa y Amadeu insistió en barrer y baldear el piso de la cocina:

–Si no, las cucarachas tienen un festín –dijo.

Daniel sugirió que fueran a Lapa, una zona a la que todavía no se había animado a ir.

–Si lo que precisan son mujeres, no tienen que ir tan lejos –dijo Fulvio.

–Dejalos, dejalos ir –bromeó Amadeu–. De lo que necesitan, quizás no les podemos ofrecer.

–Me dijeron que no es solamente un barrio de prostitutas y burdeles –Daniel protestó, tratando de justificar su propuesta.

–No, ¡qué va! –respondió Amadeu–. Hay otras cosas.

–Sí, ¡miseria! –gritó Fulvio.

–Vayan, vayan, vale la pena visitar Lapa –dijo Sócrates.

Fulvio se apareció con una botella de perfume de rosas y le puso un poco a cada uno en las orejas:

–Así van a ser bien recibidos.

Lapa estaba cerca, así que fueron a pie. Luigi rompió el silencio:

–Me sentí raro en la mitad de la cena.

–Pensé que la estabas pasando bien.

–Sí, pero me empecé a preocupar. Cuando Sócrates me pasó la salsa, me rozó la mano y no sé, no lo vi como a un hombre, uno las ve y las siente como mujeres, esos ojos, esos labios, esos pechos que tienen. ¿A vos también te pasó? Pensé que me estaba tratando de seducir.

–Hoy leí en el *Jornal* que los travestis de Brasil están desplazando a las putas en el Bois de Boulogne, así que parece que no sos el único.

–¿Vos lo harías?

–Ni loco, viejo, estás en pedo. Y te prevengo: andan por toda la ciudad. El baile de carnaval más sofisticado es el de ellos; en algunos lugares participan como invitados especiales en ceremonias de apertura oficiales; a veces hasta les ofrecen en esas ocasiones premios para la "virgen" más linda –Daniel se acordó de la última desilusión amorosa de Luigi, previa a sus relaciones con Hortensia y con Iris, que lo había deprimido tanto–. ¡Tenemos que conseguirnos una mina!

No les llevó mucho tiempo llegar; Lapa estaba cerca de la terminal del tranvía que llegaba hasta el morro de Santa Teresa.

Daniel pronto entendió por qué más de una vez le habían advertido sobre los peligros de Lapa. Las calles estaban repletas de gente:

prostitutas, cirujas, mendigos. Gritos. Peleas. Música a todo volumen salía de los restaurantes, casas, bares, clubes. En medio del caos, Luigi y Daniel se paseaban por las calles con una mezcla de confianza arrogante y aprehensión.

A medida que se alejaban de las grandes avenidas, el barrio se volvía cada vez más inquietante; la pobreza y la miseria, más insoportables. Daniel no entendía qué los impulsaba a seguir. Pararon en varios bares, tomaron *cachaça* y cerveza, no hablaron mucho. En un umbral había una chica de apenas unos quince años: tenía el pelo largo, mal teñido de rubio. Con el vestido levantado de un costado, se le veían las piernas. Estaba embarazada y esperando clientes.

–¿Dónde carajo estamos?

–Es acá, *siamo arrivati*: ¡es el Infierno!

Llegaron a una zona llena de hombres solos yendo y viniendo por la calle. Era un barrio con casas de un mismo diseño colonial: puertas de doble hoja abiertas que daban a un pequeño hall de entrada con cinco o seis escalones. En cada escalón, apoyada contra la pared, una prostituta se balanceaba rítmicamente, como al compás de una samba, lamiéndose los labios, sacando y entrando la lengua. Los hombres que pasaban por la calle gritaban obscenidades, le ofrecían piropos groseros, preguntaban por el precio de sus servicios.

–Tenemos que entrar para ver cómo es –dijo Luigi–. Tenemos que probar.

–No sé si me da el cuero, mejor te espero en el bar de la esquina –pero al mismo tiempo que lo decía, pensaba: *¿Por qué no? Tiene razón, hay que ver cómo es la cosa con una puta. Si lo hacía Henry Miller, también vos lo podés hacer.*

Razonamiento totalmente estúpido, pero funcionó.

Daniel se eligió una mujer de piel canela que andaría por los veintipico, pelo ondulado, pechos generosos. Ella lo tomó de la mano cuando él subía por la escalera. Los escalones llevaban a un patio amplio. Había una fila de cuatro bidets contra una pared pintada de verde, el color de la esperanza. El patio tenía una parra extendida de la que colgaban racimos tupidos de uvas negras pasadas. Había dos mujeres sentadas cada una en un bidet, lavándose y riéndose. El cafishio que regenteaba el lugar estaba sentado en una esquina, tomando mate; era un mulato con la cara picada de viruela y dos surcos pronunciados que le bajaban desde las fosas nasales hasta las comisuras de los labios. Tenía puesta una camiseta blanca y un pantalón pijama de algodón celeste; a pesar de su cara de malandra, parecía un vecino simpático sentado en la puerta de su casa, con el termo de agua caliente y los bizcochitos de grasa. Charlaba con las mujeres que estaban en los bidets y les ofrecía cambio a los clientes que lo necesitaban. De cuando en cuando, recogía las uvas caídas sobre las baldosas y las arrojaba a un cantero que había en el rincón.

Enfrente de los bidets había una serie de cubículos separados por tabiques de madera. Cada entrada tenía colgada una cortina de algodón hindú en lugar de puerta. Daniel siguió a la mujer, pudiendo ver que Luigi entraba en el cubículo siguiente.

El lugar estaba pintado de rosa, una lámpara con una bombita roja lo iluminaba. Un retrato de una Virgen María negra con Jesús en los brazos era la única decoración que había en las paredes. Había una cama con almohadones redondos, una mesita de luz diminuta con un cajón y un cesto de plástico en una esquina. *"Très romantique!"*, dirían los travestis. La mujer se desvistió rápidamente, se acostó sobre los almohadones y empezó a masajearse los muslos con vigor. Se quedó parado al lado de la cama, desconcertado, sin saber qué hacer. Oyó la voz de Luigi que llegaba del cubículo vecino y sintió que después de todo hubiera sido mejor esperarlo en el bar de la esquina. Ella le pidió el dinero y, en cuanto Daniel se lo dio, lo guardó rápidamente en un monederito que llevaba prendido de la muñeca. Después, le desabrochó los botones del jean, le bajó los calzoncillos, y con su pene entre las manos, ella le empezó a hablarle como si fuera un bebé:

–Vamos, mi chiquito, crecé para mí, a ver, a ver.

Daniel estuvo a punto de explotar en carcajadas pero la imagen del cafishio tomando mate afuera lo contuvo. En ese momento, mientras creía que no iba a pasar nada, a pesar de todo su pesimismo, ¡estaba creciendo para su mamita!

Ella sacó un condón del cajón, abrió el paquete y lo desenrolló sobre su pene con gran habilidad. Mientras lo hacía, no paraba de hablar ni un segundo; en realidad, todo este tiempo había mantenido una conversación paralela a viva voz con su colega de al lado. Ella continuó con la charla mientras Daniel bombeaba con todas sus fuerzas, tratando de convencerse a sí mismo que lo que estaba haciendo eran cosas de machos. En realidad, lo que quería era protección, consuelo, mimos, seguridad. Lo que precisaba era una nodriza, no una puta.

De pronto, ella le dio una bofetada por morderle fuerte un pezón.

–¡Mierda! ¿Está loco?

Después, indignada y furiosa, procedió a contarle a su amiga lo que había pasado a puro grito mientras Daniel acababa con el quejido patético de un animal herido y moribundo.

Era tarde y había empezado a llover. Los pocos hombres todavía deambulando por la calle lo hacían en silencio. A pesar de la hora avanzada, unos chicos, desnutridos y cansados, vestidos con uniformes demasiado grandes del Ejército de Salvación, desfilaban cantando himnos. Dos oficiales adultos, en pantalones cortos, dirigían la procesión: uno llevaba una caja de madera para donaciones y el otro, una pandereta. Una mujer borracha y semidesnuda seguía la procesión arrastrando una boa constrictor muerta. De cuando en cuando, tomaba la descomunal serpiente por la cabeza y la sacudía por todos lados, tratando de golpear a los que estuvieran cerca. Amenazaba con el infierno a todos los pecadores y condena perpetua para las putas.

Se dirigió hacia el bar de la esquina donde habían acordado encontrarse con Luigi. Pidió una cerveza y un paquete de papas fritas. Un hombre tocaba el acordeón junto al mostrador; cuando oyó el acento de Daniel, empezó a cantar tangos en un castellano improvisado. Perfecta música de fondo para semejante ocasión.

Muy pronto, apareció Luigi y pidió también una cerveza.

–Me hizo poner un forro. No me hizo mucha gracia pero, en fin, ¡estuvo bárbaro!

–Justo lo que nos hacía falta –mintió Daniel.

2

Muy pronto, casi sin notarlo, desarrollaron una rutina: de día, visitaban los lugares turísticos: el Pan de Azúcar, el Cristo Redentor, los museos, el Jardín Botánico. En el Corcovado, Luigi insistió en quedarse un buen rato en la cima. Lo que parecía conmoverlo no era tanto la estatua del Cristo con sus brazos abiertos sino la cantidad de visitantes congregados a su alrededor. Su único comentario en el viaje de regreso fue:

–Esa gente pierde el tiempo, Dios no los escucha.

En las calles de Buenos Aires nunca habían visto tanta pobreza. Sin embargo, Río de Janeiro tenía un ritmo especial, una alegría contagiosa. Para los *cariocas*, vivir y disfrutar de esa vida parecía tener prioridad por sobre todo lo demás. Se sintieron tocados por esa alegría; vivían en un estado de permanente excitación. La mufa, esa constante amenaza en Buenos Aires, había desaparecido.

Después de cada visita turística, pasaban a buscar la correspondencia por el Consulado Argentino. Casi nunca recibían cartas pero era parte del ritual cotidiano. Un día, sorpresivamente, Daniel recibió dos cartas: una de Lola y otra de su madre. Lola fue muy breve: *Danny, te extraño, ojalá pudiera estar ahí con vos. Nadie sabe que sola, a la noche, una se clava agujas envenenadas en los ojos. Lolaila.*

Pero esta vez, sin el vodka *for export* en sus venas, ese mensaje lo dejó frío. Tiró la nota a la basura.

La carta de su madre era larga: *Querido hijo espero que te encuentres bien y en buen estado de salud al recibir esta carta nosotros estamos bien gracias a Dios espero que la estés pasando bien. Robertito tu primo estuvo resfriado pero eso no le impide ser el mismo pesado de siempre Gustavo estuvo con fiebre pero ahora ya está bien los abuelos vinieron a comer un asado con él pero te imaginás que con esa fiebre no pudo comer nada Rosita no tuvo suerte con su cumpleaños porque justo esa mañana Don Pedro se le murió como un pajarito Marta volvió pero tuvo que correr al dentista porque tuvo dos abscesos le tuvieron que dar penicilina y ahora no puede comer nada con sal por 10 días las cosas se le complicaron porque le subió la presión era el día del concierto y ella ya había pagado por el acompañamiento me imagino lo bien que la estarás pasando vos por allá con toda esa libertad que tenés te estarás cuidando bien digo yo acordate que tenés que evitar las malas compañías en tu vida. El Rabino Tapolsky preguntó por vos espero que no te hayas olvidado de la educación que te dimos los estudiantes acá estuvieron haciendo otra manifestación ¿qué quieren digo yo? No es bueno ser tan rebelde el sábado pasado vinieron las chicas a cenar cocinaron para todos y se quedaron mirando televisión hasta las dos de la mañana hicieron unas empana-*

das riquísimas de humita y panceta y también una pizza con muzza-rella italiana ay casi me olvido de contarte que tus hermanas se encontraron con Damián en la calle te manda saludos y les pidió la dirección porque quiere escribirte. Si yo tu mamá pudiera decidir tu destino lo único que le pediría a Dios es que te trajera cerca mío así podemos tenerte en la mesa para las fiestas si me ves no me reconocerías todo el mundo dice que estoy regia puedo pasar por tu hermana te lo juro ojalá cambiaras de vida y trabajaras y estudiaras más mirá tu padre nunca estudió y ahí está el pobre cuando estés preocupado pensá en mí o soñá con Dios que a mí me ayuda mucho yo te hago la cama todos los días y de vez en cuando te lavo las camisas el día que Argentina jugó contra México comimos ravioles en tu honor a veces cuando tomo el colectivo miro el cielo y pienso en vos sólo mirando el cielo podemos vernos porque el cielo es infinito, Mamá.

De noche, siguieron visitando Lapa pero ya no volvieron a los burdeles. Preferían quedarse en los bares, donde se hicieron amigos de estudiantes, escritores y artistas. Algunas noches, terminaban del otro lado de la ciudad, en otro de sus bares favoritos, sobre el lago que está detrás de Ipanema. La vida era generosa. No se sentían obligados a tomar decisiones. Soñaban con proyectos. Escribían.

–¿Por qué escribís? –le preguntó Daniel a Luigi.

Un par de días antes de la llegada de Luigi, José Delmar Rocha lo había llamado por teléfono. Rocha era el dueño de *Resenha*, una editorial que publicaba libros de poesía y también un periódico cultural. Se habían conocido brevemente en una galería de arte; Rocha estaba interesado en el nuevo teatro argentino independiente; quería que Daniel escribiera sobre el tema; habían arreglado para encontrarse esa tarde. Era temprano para la cita; tenían tiempo para deambular por las calles.

–Primero, porque me ayuda a seducir más mujeres. Segundo, porque al escribir descubro lo que siento. No sé cuál de las dos es más importante.

Ambos sabían que escribían porque no podían dejar de hacerlo. No sabrían qué otra cosa hacer con sus vidas.

–¿Y vos?

–Yo quise ser poeta desde la secundaria. Teníamos una profesora, la señorita Calvo, que nos enseñaba Literatura Española. Tendría unos treinta años, era soltera y seductora, su perfume prometía un paraíso que sabíamos inalcanzable. Su voz profunda y ronca nos daba escalofríos y temblores –excepto a Cristóbal, que era maricón.

En el fondo del aula, Cristóbal le hacía la paja gratis a quien se lo pidiera, en cualquier momento. Héctor, que años después fue diputado de la Unión Cívica Radical, era el cliente más frecuente. Se sentaban en la última fila, en un pupitre doble. Cristóbal, junto a la pared; Héctor, en el banco que daba al pasillo. Al rato, Héctor acababa en el impecable pañuelo blanco que llevaba en el bolsillo de su blazer azul.

Pero cuando la señorita Calvo entraba en el aula, todos tenían ganas de masturbarse; ella parecía provocarlos a propósito. Leía o pedía a alguno que leyera los poemas más eróticos de Pedro Salinas:

Y de pronto, en el alto
silencio de la noche,
un soñar mío empieza
al borde de tu cuerpo...

Treinta muchachos saludables, viriles y muertos de hambre por una mujer, sólo podían estar pensando en el cuerpo desnudo de la señorita Calvo.

Jorge, que se sentaba al lado de Daniel, tenía un poema favorito:

Hoy te quiero declarar mi amor. Un río de sangre,
un mar de sangre es este beso estrellado sobre tus labios.
Tus dos pechos son muy pequeños para resumir una historia.

–La profesora solía elegir a Jorge para que le leyera al resto de la clase. Él vivía obsesionado con ella, se había vuelto loco, estaba totalmente encajetado, convencido de que él era el elegido. Había averiguado dónde vivía, qué hacía en los fines de semana, qué flores le gustaban, quién era su actor americano preferido. Para parecer mayor, Jorge se vestía como un hombre de negocios: traje a rayas, camisa a rayas, corbata a rayas. Sus ojos diminutos tenían un brillo perverso cuando recitaba: ... *esa flor caliente. Me ahogo...*

Pero Jorge no era el único.

–Yo no sé cómo lográbamos sobrevivir a esos cuarenta y cinco minutos, dos veces por semana, durante nueve largos meses. Sea como sea, ella es la responsable de mi deseo de ser escritor.

–¿Por qué?

–Como trabajo práctico, nos hizo escribir algo sobre el tema "La Noche". Yo me aparecí con un escrito corto. Se quedó sorprendida por su calidad; dijo que yo había usado recursos literarios inusuales, y qué sé yo qué mierda. Y después, en frente de toda la clase, dió a entender que alguien me había ayudado. Yo me quedé mudo, indignado. Veía cómo algunos de mis compañeros se sonreían con placer, gozaban con mi humillación, sobre todo Jorge. Ahí decidí que iba a ser poeta.

–Tan buena razón como cualquier otra.

La oficina de Rocha era un loft ubicado en el último piso de un edificio comercial; en el medio, había una construcción de madera pintada y vidrios opacos; el nombre de Rocha en la puerta lo anunciaba como *Director*. El resto del lugar estaba ocupado por varios escritorios que parecían estar distribuidos arbitrariamente; en el suelo, altas pilas de libros se mantenían milagrosamente en equilibrio. A Daniel siempre le había gustado el olor del papel impreso, le producía una leve sensación de embriaguez. Podía reconocer el olor de diferentes partes del mundo, identificar el país en el que había sido impreso cada libro. Tomaba un ejemplar cerrando los ojos, lo abría en una página cualquiera y, hundiendo la cara, respiraba hondo: Colombia, México, Argentina, España.

Rocha salió de su pequeño estudio y los saludó con calidez. También estaba ahí su mujer, Lubbah, que además era su socia. Después de las presentaciones formales, Rocha les ofreció algo para tomar.

–Café o *guaraná*, ¿qué prefieren? ¿Sabían que el *guaraná* se hace con el fruto de un arbusto que sólo crece en la selva amazónica?

No lo sabían. Pero desde su llegada a Río se habían acostumbrado rápidamente a esa bebida tan popular.

–Tiene poderes mágicos. Es originaria de una tribu amazónica, los *Saterê-Maûé*, una gente maravillosa; ellos mantienen vivos nuestros mitos; sin mitos, los pueblos desaparecen. ¿Qué les parecen las ciudades? ¿A ustedes les gustan? Yo no sé cómo hacemos para sobrevivir en ellas.

–Yo sólo me puedo imaginar viviendo en un lugar como Buenos Aires. O como Río –dijo Luigi.

–No sé, yo me crié en Minas Gerais, ese paisaje me marcó para siempre. Pero en realidad, lo más importante son los amigos, ellos son los que nos ayudan a sobrevivir, dondequiera que vivamos.

Tanto Rocha como Luigi habían recibido una educación católica: ambos habían ido a una escuela jesuita y los dos habían terminado siendo expulsados. Rocha admiraba a los jesuitas, pensaba que eran los únicos que habían tratado de proteger a los indios.

–En las misiones los indios encontraron un amparo merecido. Hay que imaginarse la situación, era una de dos: o se morían por las enfermedades, o los agarraban los *bandeirantes*.

–¿Quiénes eran los *bandeirantes*? –preguntó Daniel.

–Unos cazadores despiadados que organizaban expediciones a la selva para esclavizar a los indios; las misiones eran el único refugio.

Rocha hablaba de ellas como el único intento socialista exitoso en toda la historia del Brasil; eran verdaderos centros de cultura, en los que el trabajo era tan importante como el arte y la música. Su entusiasmo era contagioso.

–¿Es cierto que el *guaraná* es afrodisíaco? –interrumpió Luigi.

Todos se rieron.

–Por alguna razón la gente toma tanto *guaraná* en el carnaval –sugirió Lubbah.

–No, lo que corre mucho en el carnaval es la *maconha* –afirmó Rocha.

¡Marihuana! Extraño que fuera tan popular en Brazil; en la Argentina, casi no se había escuchado hablar de la *yerba*.

Lubbah se disculpó, tenía que irse para hacer unas diligencias.

Hasta ahora, no se había hablado sobre el artículo que Rocha había invitado a Daniel a escribir. En cambio, Luigi, tentativamente, sugirió la posibilidad de publicar una antología de poesía argentina; mencionó los nombres a incluir, los poemas que tenía en mente. Había sido una idea espontánea que se le había ocurrido mientras hablaban; ahora, entraba en los detalles concretos.

A Rocha le entusiasmó la idea.

–De acuerdo, ¡démoslo por hecho! Pero tiene que estar impreso para el Festival del Escritor Brasileño. Hasta pueden tener vuestro propio stand y vender ejemplares del libro –quería saber exactamente a cuántos poetas iban a incluir, cuántos poemas, cuántas páginas.

–Diez poetas, tres poemas cada uno, serían unas 80 páginas.

–¡Hecho! A ver, ¿quién puede ser la madrina del stand? Ya sé. Vamos a invitar a Carmen Pereira, la actriz argentina. Va a andar bien.

Los dioses estaban de su lado. Después, al ponerse de pie, Rocha sugirió:

—La portada va a ser azul y blanca, los colores de vuestra bandera.

Se despidieron efusivamente, como viejos amigos después de un encuentro memorable.

Al irse, Luigi y Daniel salieron corriendo a los tumbos por las escaleras. No lo podían creer, semejante suerte. Ardían de entusiasmo y no salían de su asombro.

—¡Nos pasamos, hermano, nos pasamos! Acabo de llegar ¡y ya tenemos una antología de poesía para publicar!

—Es de no creer. Le tendré que mandar un ejemplar a la señorita Calvo.

Pararon un taxi. Eran baratos y había muchos por todas partes. Era común que los choferes fueran inmigrantes recién llegados. Esta vez, les tocó un sirio.

Tendría que haber sido fácil llegar al departamento. No era ni tan lejos, ni el camino era tan complicado; sin embargo, el taxista los paseó un buen rato por todos lados, no aceptaba instrucciones dadas por un par de "extranjeros". En cambio, insistió en que le dijeran de dónde eran y a qué se dedicaban. Cuando descubrió que eran escritores, empezó a recitar en árabe. Ahí estaban, atrapados en el medio de un tráfico increíble, el taxímetro andando sin parar, forzados a escuchar poemas ininteligibles. Quizá eso era lo que se entendía por arte socialista.

Al cruzar por el Museo de Arte Moderno, que estaba cerca de donde vivían, Daniel sugirió continuar a pie desde ahí. Pero el taxista no se iba a dejar convencer. Simplemente los ignoró:

—¿Para qué quieren este museo, me pueden decir? Querían poner todo el arte junto en un lugar. ¿Pero qué es el arte, a ver? ¿El arte me va a dar de comer, acaso? ¿Alguna vez oyeron hablar de museos en Oriente? En Occidente está todo al revés. No saben la diferencia entre la vida y la muerte, ése es el problema. ¡Nunca me voy a acostumbrar a vivir acá! Con lo que gano manejando este taxi mantengo a mis padres, hermanos y hermanas, que viven en Alepo. Yo lo único que quiero es ganar lo suficiente para volver rico a mi país.

Luigi le preguntó cuánto hacía que vivía en Brasil.

—Más que suficiente: doce años.

Así que, después de todo, no era un recién llegado; debía conocer bien el camino.

Cuando finalmente estaban llegando al edificio, Daniel le preguntó por qué iba con las luces apagadas, acaso no le parecía eso un poco peligroso, con lo oscuro que estaban algunas de las calles.

Se dio vuelta sin parar de manejar y los miró, incrédulo.

–¿No saben que nuestro gobierno está tratando de ahorrar electricidad? ¿No leyeron en el diario que hay cortes de luz? Yo no quiero arruinarles el esfuerzo que están haciendo, quiero colaborar. Es un buen gobierno.

Armar el libro de poemas no les resultó difícil. Daniel y Luigi se pasaron las dos semanas siguientes escribiendo cartas, haciendo llamadas a Buenos Aires, corrigiendo poemas. Decidieron incluir a algunos de sus amigos en la selección. Ansiosos por hacerse conocer en otro país, fueron rápidos y eficientes. Reunieron a nueve poetas, algunos ya consagrados. Era una selección despareja pero estaban satisfechos con el resultado. Rocha se ocupó de hacerlo imprimir enseguida, con la cubierta azul y blanca prometida. Al mismo tiempo, les había preparado una sorpresa al pedirle a Manuel Bandeira que escribiera un breve prólogo.

Bandeira estaba entusiasmado con la antología. Le gustaba especialmente un poema de Hurtado de Mendoza, *La Burocracia de Afrodita*, que terminaba diciendo: "A mí me han arruinado las mujeres". La noche que lo conocieron, Bandeira no dejaba de reírse mientras repetía ese verso:

–¡A mí me han arruinado las mujeres! ¡Qué simpático! ¡Me arruinaron las mujeres! ¡Ja, ja, ja!

El Festival del Escritor Brasileño era, como tantas otras cosas en ese país, un acontecimiento fuera de lo común. En los diarios matutinos del día siguiente, las fotos tomadas en el Museo de Arte Moderno ese lunes por la noche eran poco representativas de los acontecimientos, como esos retratos en los que cada miembro de una familia ocupa el lugar correcto: los abuelos sentados en el medio, los padres de pie detrás, los hijos amontonados al frente. Todo muy ordenado pero nada que ver con la realidad.

Había empezado con una mesa redonda a la tarde, en la que un grupo de intelectuales habían sido invitados a debatir "El compromiso del poeta en la sociedad moderna". La reunión se hizo en un auditorio repleto de la Universidad. La primera en hablar fue Imelda Portugués, profesora de literatura, una mujer imponente de fuertes convicciones. El público joven siguió su discurso en un absorto silencio de admiración. Al principio, Daniel también se sintió cautivado, pero hacia el final de su presentación, quedó claro que la disertante no tenía una opinión muy positiva sobre los poetas, la poesía o la literatura en general. Quería una literatura que reflejara la realidad, decía. La poesía necesitaba una justificación social, debía contribuir a destruir el *statu quo*. Por supuesto, había leído a Sartre y terminó su discurso gritando:

–¡Muera la literatura! ¡Viva la *praxis*!

Se creó un clima de acto político; el público, compuesto principalmente por estudiantes universitarios, estaba exaltado; era una oportunidad para expresar su oposición al gobierno. Daniel estaba harto; aunque simpatizaba con los estudiantes, pronto se aburrió por esa aparente lucidez desplazada.

Después, habló Vinicius Portela, un novelista del Nordeste. Un hombre sobrio, compuesto, inteligente, que hizo un buen trabajo de demolición de Imelda Portugués; aunque brillantes, dijo, a sus teorías les faltaba algo esencial: humor. El razonamiento de Imelda le había resultado interesante, había logrado impresionar a todos los presentes, pero la literatura, como la vida misma, no tenía nada que ver con la lógica ni estaba gobernada por la razón. Una vez que uno le sacaba al arte sus cuotas de intuición, obsesión y locura, ¿qué quedaba? La oscuridad, la muerte. Lamentablemente, el público no le iba a prestar atención: después de todo ese fervor político inicial, nadie estaba dispuesto a escuchar. La gente quería sangre.

Por último, era el turno del poeta. Hildon Medeiros, un tipo extraordinario. Vivía con su mujer y sus dos hijos en un pequeño departamento en una zona pobre de Río y trabajaba de vendedor en una mueblería para mantener a su familia. La vida era dura para él; sobraban razones para estar siempre borracho. Cuando lo llamaron al escenario, Medeiros apenas podía mantenerse en pie por la cantidad de *cachaça* que había tomado. Se acercó al micrófono, miró al público y dijo:

–Me importan un carajo todas esas palabras. Me importan una mierda los pedos idiotas y vacíos que ustedes se tiran por la boca. Esto es todo lo que tengo que decir sobre la poesía –se desabrochó los pantalones, sacó su pene oscuro y largo, verdaderamente enorme, y orinó sobre el micrófono.

Durante unos segundos, el público no pudo reaccionar; después, en medio de la confusión, empezaron a aplaudir, alentándolo a seguir. Imelda era la única ofendida. Finalmente, un par de tipos lo tomaron de los brazos y se lo llevaron, los pantalones chorreando y todo.

Estaba programado un debate abierto para cerrar la sesión, pero esa protesta absurda le puso fin a la tarde. Después de celebrar el acto heroico de Medeiros, el público se levantó y se fue. A él, se lo habían llevado a la comisaría, acusado de exhibicionismo y atentado a la moral pública.

Si bien era una ocasión llena de alegría, la sesión nocturna del festival fue relativamente formal: un ministro, en representación del Presidente de la República, abrió el encuentro. También estaba el embajador argentino, un hombre prepotente y arrogante. Fue una sorpresa encontrar a Bernabé Souza en el Festival; él era el poeta que le había conseguido el pasaje gratis a Daniel para ir al Brasil. Al enterarse de la antología, se había venido desde Buenos Aires para el festival; ahora estaba mezclado con el resto del grupo diplomático. Cuando el agregado cultural le regaló un ejemplar de la antología al embajador, éste lo abrió justo en un poema de Juan Gelman titulado "Fidel". Leyó en voz alta, mirando de reojo al agregado cultural:

> *Buenas noches Historia agranda tus portones*
> *entramos con fidel con el caballo...*

Arrojó el libro con disgusto a la distancia, golpeando a Rocha, que se acercaba al stand. Rojo de furia, el embajador se fue sin saludar. El agregado cultural se quejó:

–¡Qué estúpidos que estuvieron! Si no hubieran incluido el título, jamás habría leído el poema.

–Si Gelman le puso título –argumentó Daniel–, ¿quiénes somos nosotros para sacárselo? Es uno de los mejores poetas de nuestra generación, la verdad es que todos lo admiramos, tanto a él como al caballo.

Rocha estaba perturbado por la reacción del embajador y no podía parar de hablar, de hacer preguntas, de buscar distintas formas de reconciliación. Bernabé trató de consolarlos a todos:

–No se preocupen. Con o sin embajador, este libro se va a vender bien.

Daniel no pudo seguir el resto de la conversación. Le había llamado la atención cómo el público se abría para dejar pasar a una mujer negra que avanzaba hacia ellos. Estaba vestida a la Carmen Miranda y se acercaba hacia el stand con un porte digno de una reina. Todo el mundo la animaba y silbaban a su paso. Llevaba una cesta con frutas barnizadas en la cabeza y fumaba un cigarrillo con una boquilla larga de marfil. Con sus tacos rojos y brillantes, parecía muy alta. Tenía un vestido anaranjado con volados bordeados de lentejuelas y largos guantes de satén amarillos. El turbante era exactamente del mismo tono de rojo que los zapatos. Con ese carnaval de colores, la negrura de su piel se veía suave y aterciopelada.

La seguían otras dos mujeres negras, también vestidas con ropa brillante y vistosa. Las tres parecían sacadas de un desfile carnavalesco de disfraces, moviéndose y bailando y contoneándose como si los tambores de la escuela de samba de Portela las siguieran detrás, tocando para ellas. Su forma de caminar era escandalosa. Pasaron junto al ministro y su entorno y fueron directamente al stand argentino. Luigi corrió adonde estaba Daniel y le susurró al oído con una mezcla de entusiasmo y pánico:

–Son los travestis.

Se habían olvidado por completo de que los habían invitado. Ni Daniel ni Luigi se hubieran imaginado que iban a venir. Pero estaban encantados de verlos, contentos de que hubieran encontrado una manera de participar en algo que los travestis sentían claramente que no les pertenecía.

–¿Qué vamos a hacer en un Festival de Literatura? –había dicho Sócrates cuando Luigi le entregó la invitación.

Las tres bellezas negras (hasta el feo de Amadeu estaba bien disfrazado) sonreían, paradas frente al stand. Despampanantes. Sócrates tomó del brazo al agregado cultural.

–¿Usted es la madrina? –preguntó descaradamente. Todos los stands del Festival tenían una madrina; en general, era una actriz reconocida que atraía a la gente. Rocha había acertado al elegir a Carmen Pereira, pero ahora Carmen había sido desplazada por Sócrates, que seguía:

–Porque fueron sus ojazos negros los que nos hicieron venir hasta acá. Usted es tan buen mozo, tan atlético, qué se yo, ¡tan robusto!

El agregado, aunque incómodo, se reía; como buen diplomático, se las estaba arreglando bastante bien. En cambio, su esposa Silvia estaba pálida.

–¡Hagan algo! –ordenó. ¿Qué se podía hacer? La ignoraron. Todavía del brazo del agregado cultural, Sócrates empezó a gritarle al público:

–¡Vamos, todos ustedes! ¡En este stand se venden libros, vamos, compren esta fabulosa antología! –y, mirando al agregado cultural, agregó–: ¡Miren la madrina que tenemos! Vamos, que esta oportunidad no se va a repetir.

Sócrates seguramente notó la expresión de Silvia; se dio vuelta a mirarla, la abrazó y le dio un beso ruidoso en la mejilla.

El libro se vendió bien. Rocha y su mujer estaban felices con el éxito. Tanto Bernabé Souza como el agregado cultural parecían encantados con sus nuevas amigas. Finalmente, Sócrates, Amadeu, Fulvio, Luigi y Daniel se fueron juntos del Festival.

Ahí estaba, por las calles de Río con su mejor amigo y un grupo de travestis, después de haber participado en un festival de escritores con una antología de poesía.

Luigi y Daniel, junto con Manuel y Horacio, otros de sus amigos de Buenos Aires, se consideraban héroes de la era moderna. Leían a Henry Miller, Jack Kerouac y Allen Ginsberg; querían ser como ellos, *más* que ellos. Estudiaban a Proudhon, admiraban a los surrealistas y pensaban que Rosa Luxemburgo era el nombre más hermoso del mundo. Querían crear una narrativa propia, que les ofreciera algo más significativo que el discurso sin sentido de los partidos políticos. En esa época, sus historias eran fragmentarias, piezas aisladas de un rompecabezas, retazos que el viento podría haber arrastrado en cualquier dirección. Por dentro, se sentían divididos, caóticos. La gente iba y venía por sus vidas mientras ellos se consideraban a sí

mismos fuera de lugar, exiliados. Se reunían todas las noches en El
Reducto, una habitación con una cama, un par de escritorios viejos,
una biblioteca y un tocadiscos. La usaban para escribir, hacer el
amor, dormir y soñar con mejores tiempos futuros. Experimentaban
con dexedrina, escuchaban a *Fontessa* toda la noche, se emborra-
chaban y escribían poemas de amor apasionados. Sentían que no tenían hogar pero soñaban con Nueva York, las Islas Baleares, París.
Si había un mundo que conquistar, lo iban a hacer con drogas y poesía, sexo y jazz.

Qué joda.

Llegaron a Lapa. La noche era cálida. Era lunes, el barrio estaba vacío. Pararon en una churrasquería, en la que siempre se comía
buena carne. Al final de la comida, Amadeu y Fulvio empezaron a
discutir sobre si el *capoeira* de Angola era más auténtico que el de
Mestre Bimba. Amadeu era de Bahía; Fulvio, de las plantaciones ta-
bacaleras de Cachoeira.

–¡Qué sabrás! Tenés que reconocer que no sabés nada, hermano –argumentó Fulvio–. Mestre Bimba lo ha creado todo; *capoeira*
nació en las plantaciones de Cachoeira y cada bebé de esa zona llega
al mundo con un *berimbau* bajo el brazo.

–¡Cachoeira! ¡Qué boludez! Capoeira nació en Angola y el único
maestro es Mestre Pastinha, ¿me oís? Tu berimbau no lo traías bajo
el brazo, sino que lo tenías metido en el culo.

Fulvio y Amadeu disfrutaban de esa lucha ritual donde las palabras habían reemplazado el cuerpo.

Terminados los postres, Luigi sugirió que se fueran. Había sido
un largo día. Ya no quedaba otra gente en el restaurante; los mozos
estaban poniendo las sillas dadas vuelta sobre las mesas. El dueño
del lugar había puesto un disco de fados portugueses tradicionales
cantados por Amalia Rodrigues. Les gritó desde detrás del mostrador:

–Qué vergüenza que haya apoyado al hijo de puta de Salazar, ¿no?

Cuando salieron, se volvieron a encontrar con la misma prostituta adolescente embarazada que Daniel y Luigi habían visto antes.
Sentada en el pavimento, les sonrió. Luigi se acercó y le puso unos
billetes en sus manos.

–¿Por qué no te vas a dormir? Es tarde, andá para tu casa.

La adolescente se volvió a sonreír y dijo que sí, que se iría. Ya mismo. Se despidió, gritando un saludo que no pudieron reconocer.

–Dudo que tenga casa –se lamentó Sócrates.

Dejaron Lapa y volvieron a pie al departamento. Frente a un bar que estaba todavía abierto, en medio de la calle vacía, se cruzaron con una limusina Mercedes de color blanco. Los cinco se quedaron parados, maravillados ante esa excentricidad, tan limpia y resplandeciente. No se veía un alma por los alrededores. De repente, Amadeu pidió que lo esperaran. Se metió en el bar. Desde el interior, llegaba un murmullo de voces apagadas. Volvió enseguida, con algo envuelto en papel de diario. Se trepó por el paragolpes trasero, sacó el envoltorio y dejó caer el contenido en el techo del auto: era el sorete más largo y grueso que habían visto en sus vidas. Jamás podrían haberse imaginado a alguien cagar semejante ejemplar de mierda dura. Era difícil alejarse de esa inusitada visión, el majestuoso sorete sobre la limusina blanca brillando bajo la luz de la luna.

–Es una obra de arte –dijo Luigi. Todos aplaudieron.

Finalmente, emprendieron su camino de regreso en silencio.

3

Amigo Daniel:

A lo mejor te sorprenda esta carta. Hace unos días vi a tus hermanitas por la calle y me dijeron que podía escribirte al Consulado, así que aquí estoy. Me dió mucha pena no poder verte antes de que te fueras. El día en que nos íbamos a encontrar en La Giralda, Laura se enfermó. Fue una de esa gripes tremebundas. No pude ubicarte para avisarte. Las dos semanas siguientes tuve que ocuparme de cuidarla a ella y a los chicos, etc. Ahora andan bien. ¿Vos cómo andás? Me contaron que el gobierno brasileño fue muy generoso con vos y que Luigi te está acompañando en la aventura. Algunas buenas noticias: me cambié de escuela y ahora doy Historia Argentina en un secundario de Lomas de Zamora; el viaje en tren no está tan mal como me lo imaginaba; en realidad es el único momento que tengo para leer los diarios. Enseñar la historia de nuestro país es todo un desafío. ¡Semejante cantidad de hechos insignificantes! ¿Cómo se les enseña historia a un grupo mixto de adolescentes calentones, obsesionados con el sexo, que sólo quieren escuchar música? No es fácil. Es tentador limitarse a seguir el texto recomendado por las autoridades del Ministerio de Educación, pero eso yo no lo podría soportar: está lleno de mentiras, distorsiones chauvinistas e intentos flagrantes de lavado de cerebro. Dadas ciertas tradiciones de nuestro país, me interesé en investigar y escribir sobre la historia de la represión en América latina. Me estoy encontrando con algunas sorpresas: mientras que los sectores religiosos, judiciales y seculares de España se contentaron con justificar toda forma de abuso, Bartolomé de las Casas fue prácticamente el único que se opuso, denunciando abiertamente los excesos cometidos por los españoles en toda América. Pero la tarea es inmensa. Por ejemplo, voy a tener que ser muy escrupuloso al reunir la información. También voy a tener que ser frugal: ¡hay tanto sobre la Inquisición! Y no quiero perderme en ese período. El tema me remontó a siglos atrás, más allá de la época de la conquista española. Lo que sí queda claro es lo siguiente: las cosas no cambiaron mucho desde los tiempos de los romanos, cuando la tortura formaba parte formal de los procedimientos legales. Lindo, ¿no? En la Argentina siempre existió la tortura, leyendo esta historia me da escalofríos. En los años '30, no era el gobierno sino la Legión Cívica la que se dedicó a asesinar y a torturar, apoyada por Uriburu. El fascismo de Uriburu se prolongó en el gobierno de Justo, quien le negó refugio a muchos científicos que trataban de escaparse de Hitler. ¿Vos te acordás de cuando eramos chicos, durante los gobiernos de Perón? Todo el mundo hablaba de la picana y de los torturados políticos. Mi viejo era activo en la U.C.R., como el tuyo; yo vivía con miedo de que se lo llevaran. Leyendo las actas del Congreso del '53, descubrí que Santiago Nudelman denunció con lujo de detalles los actos de tortura del gobierno peronista en la Cámara de Diputados. El nuevo gobierno se está transformando en una dictadura siniestra. El bigotudo de Onganía quiere ahora dictar la manera en que nos vestimos, cómo me tengo que cortar el pelo, y decidir si las minas puede o no usar bikinis. Estamos todos piantados. En fin, estoy en crisis. La docencia que odio me sirve para sobrevivir. Encontrar el tiempo disponible para escribir novelas es difícil y no te da para comer. Un libro sobre la represión quizá nunca llegue a la imprenta. ¿Por qué no seré rico y famoso? Ya sé que sos muy fiaca para escribir cartas, *así que no espero necesariamente una respuesta. Hacé una cosa: mandame una postal. De las chicas de Ipanema; NO de Pelé, por favor. Un abrazo grande. Chau, Damián.*

4

Después del entusiasmo del Festival, sobrevino un breve período de calma. Durante algunos días, se sintieron aletargados; se pasaban el día leyendo en el departamento o paseando sin rumbo de un café a otro.

Una mañana, inquieto, Daniel se levantó temprano, le dejó una nota a Luigi y salió a caminar. No había podido dormir; se sentía nervioso, irritado.

Compró un diario y desayunó con unas naranjas compradas a un vendedor ambulante, el que empujaba un carrito repleto de frutas. Tenía un aparato para pelarlas adosado a uno de los lados; colocaba cada naranja entre dos pernos de metal que la mantenían en su lugar y giraba una manija que la hacía rotar por una cuchilla filosa. El procedimiento llevaba apenas unos segundos; la fruta quedaba perfectamente pelada. Comió un par de ellas, tibias y jugosas, sentado en un banco. Un impulso lo llevó hasta la Plaza 15 de Noviembre, desde donde tomó el ferry a la isla de Paquetá. Ya había hecho ese viaje antes; esta vez iba a alquilar una bicicleta para andar por la isla; un poco de ejercicio le haría bien.

Se sentó en la cubierta del barco para disfrutar de la belleza de la bahía de Guanabara. A medida que se alejaban de la costa, contemplaba las montañas por sobre el horizonte de la ciudad, imaginaba su vegetación exuberante. A su lado, estaba sentado un anciano de barba blanca y larga, cabello enrulado y una campera maloliente; llevaba una alforja de cuero, quizás con todas sus posesiones en este mundo. Daniel se había acostumbrado a llevar un bolsito de hilo con su cuaderno, un par de lapiceras, cigarrillos y su documento de identidad. No le hubiera venido mal una campera sucia; en el mar abierto, sentía frío.

Cuando llegó a la isla, decidió después de todo no alquilar una bicicleta y se puso a caminar. Los autos no eran permitidos; el único ruido que se oía en las calles vacías era el de los pocos caballos tro-

tando, tirando de un carro, y los graznidos de las gaviotas sobre los
tejados de los edificios coloniales. Al poco tiempo, el aroma de café
que salía de un bar lo paró en seco. Se había acostumbrado en Río
a tomar varias tacitas de café durante la mañana. Lo servían fuerte,
espeso y con azúcar. Se sentó en una mesita redonda de mármol y
pidió una porción de torta de coco. Había un par de clientes, ocultos
detrás de sus matutinos. Releyó la carta de Damián, la que había
traído consigo; ya le había mandado una postal la semana anterior,
antes de la llegada de su carta. Se sentía muy cerca de él, a pesar de
que no se veían desde hacía tiempo. Después del casamiento con
Laura y los embarazos que se sucedieron al poco tiempo, a Damián
le resultaba más difícil tener tiempo para encontrarse. Era un gau-
cho de amigo, lo extrañaba.

En la mesa de al lado dormía un magnífico gato de Angora, de
pelo largo, sedoso y una cola suntuosa. Sacó su cuaderno y escribió:

"Tango del Gato"

Volví del Tigre a nuestra casa de San Telmo
pensando que todavía iba a encontrarte,
como siempre,
que podríamos volver a jugar juntos en el jardín.
Yo me tiraría al sol
mientras vos jugarías con mis pies desnudos,
rasguñándome los dedos...

Jean Paul, el gato, se había muerto al mismo tiempo que la relación con Lola daba muestras de un deterioro final. Lo habían bautizado con nombre francés, aunque nunca pudieron decidirse si había
sido por Belmondo o por Sartre.

El mozo se acercó con otro pocillo de café:

–Yo sé que esto le gusta mucho –se lo sirvió diciéndole que lo reconocía de su viaje anterior a la isla. La verdad era que Daniel no se
acordaba de haber pasado por ese bar. Mientras hablaba del tiempo,
el hombre trataba de espiar por encima de su hombro, curioso por
saber lo que estaba escribiendo–: Agosto es el mes más cruel: trae las
lluvias desde las montañas más lejanas.

"Me está jodiendo", pensó Daniel. El mes más cruel era abril, no
agosto, pero ¿conocería a T. S. Eliot?

–Parece sorprendido –agregó el mozo–. Bueno, no tiene por qué. Yo también escribí poesía en mi tiempo –Daniel titubeó, disculpándose sin saber por qué. No le resultaba fácil imaginarse al mozo leyendo poesía inglesa, ni siquiera en portugués–. Yo tenía una simpatía, ella era de familia galesa, de la Patagonia, me recitaba poemas en voz alta en inglés y en galés.

Simpatía. ¡Qué palabra tan antigua y qué tipo tan extraño!

–Nunca me casé con ella pero sigue siendo mi único amor. De todos modos, el otoño es la estación en que llegan las lluvias. Después de haber pasado por los océanos del sur, atraviesan el Amazonas y una vez por estos lares, llegan a durar días y días. Son como las mujeres: caprichosas, temperamentales, indisciplinadas, impredecibles. Las estaciones llegan y se van, las flores nacen y se marchitan, pero la presencia de las lluvias de otoño siempre va a hacerse sentir aquí. Usted es poeta, debe saber que las lluvias enloquecen a la gente, la deprimen, la ponen eufórica, y a veces hasta la vuelven tonta.

–¿Quiere que le corrija ese poema? –le ofreció a Daniel, arrancándole el cuaderno de las manos.

No pudo detenerlo.

–¡No es un poema terminado!

–¡Ruy! ¡Ruy! ¡Éste es un lugar de trabajo, no un parque de diversiones! –gritó desde la cocina una voz con un fuerte acento alemán–. ¡Y estos huevos fritos se están enfriando!

El mozo lo miró, arqueó las cejas y suspiró:

–El *Führer* no aprecia la cultura, tengo que ir a atender a los otros clientes, enseguida vuelvo.

Tiró el cuaderno de Daniel sobre la mesa con un gesto petulante y se dirigió hacia el fondo del bar, donde había una puerta que daba a la cocina. Se movía con dificultad, arrastrando los pies, raspando el piso con las suelas de sus zapatos. Seguramente, el resultado de una larga aflicción artrítica. Daniel no sabía qué pensar todavía de lo que acababa de escribir, pero inesperadamente, casi perversamente, sentía curiosidad por conocer la opinión del mozo.

En ese momento, notó la presencia de alguien parado afuera que lo miraba. Tenía puesto un sombrero de cuero natural, pantalones blancos de algodón, una remera lisa y sandalias. En la mano derecha llevaba una lijadora de madera eléctrica; en la izquierda, una extensión de cable largo anaranjado con un enchufe blanco. Lo desconcertó la mirada desafiante del hombre, su sonrisa desagradable y sardónica.

–¿No me reconocés, hijo de puta? –preguntó, avanzando hacia él.

Por supuesto, Daniel lo identificó en cuanto abrió la boca: era Eugenio, que seguía sin los dientes de adelante. Años atrás, Eugenio había sido lo suficientemente estúpido como para meterse en una pelea entre dos barras bravas en la calle. Por tratar de separarlos, se le volvieron en contra y lo golpearon hasta que lo dieron por muerto. Nunca había juntado dinero suficiente para arreglarse los dientes.

–¿Cómo me iba a imaginar que estabas en esta isla? ¿Qué carajo hacés acá?

–Hace dieciocho meses que vivo acá, días más, días menos. Ahora soy artesano, he sido designado como el carpintero oficial de este lugar, soy el único en toda la isla –Daniel no sabía si creerle o no; en el sistema filosófico de Eugenio, la verdad, siempre contaminada por su orgullo provinciano, era un concepto relativo.

Eugenio era un escritor de Jujuy. Había llegado de Tilcara a Buenos Aires a los treinta y pico con mil quinientos poemas y cuatro novelas en su portafolios. De tanto en tanto, invitaba a algunos amigos a su pieza de pensión, compraba pizza con fainá, empanadas y vino. Se armaba una pequeña fiesta. Cuando todos estaban borrachos, él los llevaba a la plaza, prendía una fogata y quemaba uno de sus manuscritos. Eugenio había invitado a Daniel a participar en ese cruel ritual para su quinta y última novela, escrita en Buenos Aires.

–Sí. Ahora soy artesano, ya hice las paces con la literatura. Lo último que escribí fue una nota suicida, acá mismo, en esta misma mesa en la que estás sentado ahora. Sí, era una carta más bien larga. Bueno, tenía unas cuatrocientas páginas. Sí. Y también la quemé.

Daniel decidió evitar la literatura como tema de conversación.

–Te parecés cada vez más a Gatica, ¿te acordás de él?

Eugenio se sacó el sombrero, lo colocó en una silla ceremoniosamente, depositó la lija en el piso y empezó a bailar, gritando: "¡Gatica y Perón, un solo corazón! ¡Gatica y Perón, un solo corazón!". El mozo corrió a la mesa y les hizo señas de que se callaran, obviamente preocupado por su *Führer*. Eugenio se calló y volvió a ponerse el sombrero con un ademán solemne.

–¿Te tomás un café? –ofreció Daniel. Gatica aceptó con gusto–. Pensé que te habías vuelto a Tilcara. ¿Cómo viniste a parar acá?

–La vida tiene sus vueltas, che. En realidad, no importa cómo vine a parar acá. El problema es cómo voy a hacer para irme.

Daniel esperó.

–Primero, las cosas que hago están tan bien hechas, con tanto detalle, que no puedo ponerles precio. Si tuviera que evaluarlas, serían demasiado caras. En general, no cobro nada, salvo por la madera y los materiales. Con lo que gano, no me alcanza para cubrir los gastos. Mis vecinos me traen comida todos los días. A veces pienso que soy la reencarnación de un monje budista.

Mientras Daniel ya había terminado su café, Eugenio todavía ni había probado el suyo.

–Aunque quisiera, no podría juntar nunca la plata para irme de la isla. Pero además... –hizo una pausa, se quedó mirando a lo lejos y prendió un cigarrillo–. Primero, quiero resolver un misterio. Yo vivo en una casa sin teléfono, no tengo ni gas ni electricidad pero está llena de fantasmas –fumó una pitada. Otra pausa, una técnica teatral perfeccionada a través de los años–. Vos te preguntarás cómo sé yo que hay fantasmas en la casa. Bueno, mirá, me cambian las herramientas de lugar todas las noches: la sierra puede llegar a aparecer bajo la mesa de la cocina; el martillo, en mi cama. Ayer encontré el destornillador en la escupidera, te lo juro. Tengo testigos.

Daniel estuvo tentado de decirle: "sí, sí, seguro, a ver, contame más de esas pelotudeces". En cambio, comentó:

–Si yo estuviera en tu lugar, me iría a la mierda.

–Es un desafío, por eso me quedo. Además, estoy seguro de que hay un mensaje oculto en todo eso. Quiero descifrar el código.

Daniel, olvidándose de que la literatura era un tema peligroso, sugirió que a lo mejor podía dejar de ser carpintero y volver a escribir:

–Después de todo, la literatura no es un laburo tan jodido, ¿sabés? No ganás guita pero, con un poco de suerte, te la podés rebuscar escribiendo artículos.

Eugenio lo interrumpió, claramente ofendido:

–Tipos como vos no lo pueden entender, ¿no? La literatura no sirve para nada, no tiene un lugar natural en el orden de las cosas, no sirve para hacer feliz a nadie ni ha cambiado el mundo. La literatura es para los frustrados, los frívolos y los snobs; a los demás, no tiene nada que ofrecernos. Vos, igual que todos los demás pajeros literarios de nuestros amigos, vivís en un delirio total; te creés tan importante y no te das cuenta de que apenas sos un pedo silencioso en medio de una orquesta sinfónica gigante.

–Te digo la verdad, yo he conocido algunos pedos silenciosos que en su momento produjeron un gran impacto –arriesgó Daniel.

Eugenio se despachó con todo:

–¿No entendés? No se puede escribir lo que a uno realmente le gustaría expresar, así que nunca llegás a querer de verdad lo que escribís.

–¿Y qué? Por supuesto que nunca llegás de verdad a querer lo que has creado, sea un poema, un cuadro o una ópera. Si no, no volverías a producir algo nuevo.

–¡No, boludo! ¡No se puede escribir literatura porque la literatura no puede abarcar la totalidad!

–¿Qué totalidad?

–La Totalidad Total, sabelotodo de mierda. ¡La Totalidad del Universo!

Daniel hizo un esfuerzo por controlarse.

–Ah, vos te referís a *esa* Totalidad, ahora entiendo –a veces había que aceptar ciertas derrotas.

–Yo opté por no escribir porque es la única decisión ética que me queda –dijo Eugenio. Y después, bajando la voz, agregó–: Si no, sería un insulto hacia Dios. Él no quiere que escribamos.

–Es lógico –dijo Daniel con tono solemne. Eugenio parecía creerle–. ¿Sabés que dicen que es una mujer y no un hombre?

No podía evitarlo. La tentación de provocar a Eugenio era demasiado grande.

–¿Quién?

–Dios –pero Daniel decidió no arriesgarse más–. ¿Es cierto lo que dijiste? ¿Usás escupidera?

–Sí, es de porcelana portuguesa pintada. No la uso para mear; solamente para escupir. Me lo paso escupiendo de noche una cosa verdosa, amarillenta, pero no creo que tenga nada físico; lo que tengo enfermo no es ni siquiera mi mente. Mi enfermedad es del alma.

–¡Como Maiacovsky!

Eugenio lo miraba sospechosamente, pero también con tristeza. Daniel trató de imaginarse la decoración florida de su escupidera.

Eugenio lo invitó a su casa. Daniel pensaba que Eugenio estaba desesperado y aceptó. Quería ver ese lugar habitado por fantasmas que estaban volviendo loco a su amigo. Apenas promediaba la mañana; sobraba tiempo.

De regreso a Río, le contó a Luigi de su encuentro.

–¿Qué hace en Brasil?

–Eso es exactamente lo que le pregunté.

–¿Se le habrá aflojado un tornillo? ¿Vos qué pensás?

Eugenio había sido un poco excéntrico toda su vida.

–Cuando fui a la casa surgió algo inesperado. Descubrí que está metido con la *macumba*: piensa que *Exú* está tratando de establecer un orden especial en el mundo; que *Exú* eligió a Eugenio y está usando su casa para enviar mensajes a la gente. Según él, eso explicaría por qué cambian de lugar las cosas: están buscando "su lugar" en el "nuevo orden". Eugenio cree que puede interpretar las señales.

De acuerdo a Eugenio, *Exú* había sido injustamente tratado por los humanos: se lo había asociado equivocadamente con Satán pero la dualidad entre el bien y el mal era algo completamente ajeno a *Exú*.

–Tiene pensado quedarse en esa casa a toda costa para ayudar a los dioses a resolver sus problemas. Como *Exú* es también un dios de la fertilidad, Eugenio está esculpiendo un falo de dos metros de largo para ser usado en ceremonias que va a hacer en su jardín.

Eugenio prometió invitarlos.

–¿Sabés? Me dijo que no le tiene miedo a los fantasmas. Dice que hay muchas más razones para temerle a los vivos que a los muertos. Pintó toda la casa de rojo y negro, los colores del Demonio. Empezó a preguntarme de todo: si podía ver circular los líquidos por su cuerpo, si podía visualizar a los espíritus, si sentía mi Ego Superior y mi Ego Inferior. Como yo le dije que no veía un carajo, empezó a ordenarme: "Concentrate, viejo, concentrate, dejá que la Luz Oscura te alcance".

Luigi sacó una botella de *cachaça* del armario.

–Te cuento algo que de verdad me aterró. De pronto, empecé a pensar que de veras estaba sintiendo a esos espíritus de mierda. Sentía algo que me tiraba de un lado y después del otro: las Fuerzas del

Mal hacia la izquierda, las Fuerzas del Bien hacia la derecha. Algo me decía que tenía que elegir, no podía negarme a hacerlo.

Luigi ya estaba sirviendo la segunda ronda de tragos, consciente de que algo lo había trastornado a Daniel durante esa visita.

Eugenio había sido iniciado por un vecino originario de Cachoeira (Fulvio también era de allá) en las religiones ocultas. El vecino era miembro de la Hermandad del Buen Demonio, una sociedad secreta candomblé de Reconcavo. Junto con su obsesión por *Exú*, Eugenio parecía estar ahora inmerso en la adoración de una Virgen Negra Católica venerada por esa Hermandad; la virgen representaba la liberación de sus ancestros de la esclavitud. Daniel le había hecho notar a Eugenio que él era de origen polaco, así que, ¿qué tenía que ver todo eso con él?

–"Sos un prejuicioso de mierda", me dijo Eugenio. "Todos venimos de lo mismo, de lo Uno, de lo Único. Sus ancestros son mis ancestros. ¿Quién sabe? A lo mejor, la misma Fraternidad fue fundada por la reencarnación de un sacerdote católico polaco".

Según Eugenio, *Exú* había perdido su virilidad en la travesía que lo había llevado del África al Brasil: la Iglesia Católica había intervenido para combatir los elementos sexuales del culto. Eugenio quería eliminar el énfasis moralista de las prácticas religiosas y devolver a las danzas rituales su erotismo original. En el patio de su casa, tenía un chivo flaco y dos gallinas muertas de hambre que pensaba ofrendar en sacrificio a su deidad. Al chivo le había puesto de nombre Desideratum y a las dos gallinas, Fruto Prohibido y Cortesana.

–Bueno –dijo Luigi–, otro que se chifló. ¿Sabías que el padre de Eugenio se dedicaba a cavar tumbas? Era enterrador. Si tu papá se la pasa charlando con los muertos, ¿cómo te salvás?

5

Llevaban una doble vida. De día, el mundo de la cultura: poetas, pintores, los diletantes locales. De noche, tarde, buscaban refugio en otros lados: con los bohemios, los devastados, los muertos de hambre. ¿Qué querían? No se lo preguntaban, pero era en Lapa donde se sentían vivir.

Esa noche, como tantas otras noches, deambularon sin rumbo por las calles, hablando, bebiendo, haciendo chistes.

–¡Hoy tengo ganas de bailar! Vayamos a *sambar* y levantarnos unas minas.

–Qué fantástica idea, Danny –le dijo Luigi en tono socarrón. La única persona que lo llamaba así era Lola.

Se detuvieron en la entrada de una casa colonial convertida en salón de baile. Las puertas estaban abiertas de par en par. Subieron las escaleras de a tres o cuatro escalones, corriendo una carrera.

En la pista de baile, un borracho bailaba solo, cayéndose una y otra vez. De pronto, apareció una prostituta de atrás de la barra con sus pechos semidesnudos, tamboleándose de un lado a otro, dirigiéndose hacia él, cantando:

> *"Arturo, Arturo*
> *Nós te-amamos*
> *Menino bobo..."*

Improvisaba la letra al compás de la melodía que se oía por los parlantes. El borracho se las arregló para abrazarla y quedó con la cabeza apoyada entre sus pechos. Se desplazaron bailando por la pista. Cuando se acercaron, pudieron ver los tatuajes de colores en los pechos de la mujer: mariposas, flores, pequeños pájaros. Así abrazados, con la prostituta sosteniendo al borracho tambaleante, esa extraña pareja parecía una Virgen con Niño, estilo carioca.

En realidad, no había nada para ellos en ese lugar, sólo unas viejas maquilladas sentadas alrededor de una mesa al final del salón de baile. Estaban por irse cuando apareció una joven negra. Tenía puesta una camisa suelta floreada y un paquete de cigarrillos le asomaba por uno de los bolsillos delanteros; sus pantalones blancos eran tan ajustados que mostraban claramente las líneas del bordado de su bombacha diminuta. Su cuerpo era menudo pero su presencia iluminó el lugar. Apoyada en la baranda que separaba las escaleras de la pista de baile, parecía estar buscando a alguien. Daniel olió su perfume y sintió un urgente deseo de besarla en el cuello. Al parecer, estaba dispuesto a enamorarse de inmediato de una prostituta desconocida de Lapa.

Para entrar en conversación, Luigi le preguntó el precio de la entrada, que cuánto era la consumición. Quizás él también estaba conmovido: trataba de hablar en portugués y le salía el italiano. Ella respondió con una sonrisa, primero dirigida a Luigi y después a Da-

niel. Sus dos ojos enormes, negros, perfectamente redondos, brillaban en contraste con su piel morena:

–¿El precio, es para uno solo o para los dos?

Soltaron la carcajada; ella parecía desconcertada. En lugar de
aclarar el malentendido, Daniel le tomó una mano y ella se la apretó firmemente; Luigi le tomó la otra. No sabía qué esperaban de ella.

–Me llamo Wanda –se presentó la diosa negra.

Los tres bajaron las escaleras de la mano, ella saltando entre los
dos. Un verdadero acontecimiento en el medio de la selva oscura.

Era viernes, un partido de fútbol había terminado en el estadio
de Maracaná. Por las calles, grupos de adolescentes enardecidos pasaban gritando, en busca de algún tipo de acción. O minas, o peleas.
O, con un poco de suerte, ambas.

–Tendríamos que conseguir otra chica. Tengo una amiga a la que
le van a caer muy bien.

Estuvieron de acuerdo, un poco a desgano.

Wanda quería saber:

–Y ustedes, ¿quiénes son? ¿Cómo se llaman? –Luigi hizo las presentaciones.

–¿A qué se dedican?

–Ah –dijo Luigi–. *Eso* es un secreto, no se lo podés contar a
nadie. Somos contrabandistas. Entramos al país cigarrillos americanos, perfumes franceses, relojes suizos y té inglés.

Wanda estaba encantada; parecía gustarle la fanfarronería de
estos dos tipos, aunque no se sabía muy bien si ella les estaba cre-
yendo o no. Daniel agregó:

–También importamos condones turcos exóticos con formas
raras en la punta, masitas alemanas envasadas al vacío en latas decoradas, y ¡medias de seda italianas! Estamos confabulados con el
capitán de un buque de carga griego; toda la mercadería llega al
puerto de Santos.

–¿Me van a regalar un par de medias?

–¡Por supuesto! Una docena.

Caminaron un rato hasta que llegaron a una placita. Era tarde
pero el calor de la noche mantenía a la gente despierta, en la calle, en
los balcones. Se sentaban afuera en bancos de madera con asientos
de paja; a través de los ventanales abiertos, miraban los televisores a

todo volumen en el living de cada casa. Una pesadilla ensordecedora de voces electrónicas, música estridente, risas y llantos de chicos.

Wanda se acercó a una de las casas y gritó el nombre de su amiga, "¡Fernandinha! ¡Fernandinha!". Era un milagro que pudiera oírla. En la ventana apareció una mujer blanca, alta, quizás demasiado delgada. Tenía puestos unos ruleros de plástico, cubiertos por un pañuelo, y no dejaba de pintarse las uñas mientras discutía con Wanda. No pudieron entender palabra de lo que decían las mujeres. Por fin, Wanda volvió a reunirse con ellos:

–Puso muchas condiciones. Que no tiene nada más que una hora y qué sé yo, me parece que está de mal humor. ¡Otra vez será!

–Te queremos solamente a vos, Wanda –exclamó Luigi.

Los miró con una sonrisa resplandeciente, les pasó un brazo a cada uno alrededor del cuello y murmuró:

–Va a ser genial. Nosotros tres solos.

Ella insistió en ir a la plaza Mauá, sin declarar sus razones. Se metieron en un taxi. Wanda hablaba todo el tiempo, los cargaba, hacía chistes tontos, les contaba historias sobre sus compañeras de trabajo y discutía fervientemente con el taxista sobre cuál equipo de fútbol era el mejor. Ella era hincha de Flamengo; él, de Fluminense.

–Ustedes pierden el tiempo con esos equipos brasileños de mala muerte –exclamó Daniel–. En el fondo, tienen que admitirlo, el mejor equipo del mundo es Boca Juniors.

Era divertido verla a Wanda tan metida en una discusión sobre fútbol, pero de golpe ella se calló y confesó:

–Me está matando el dolor de cabeza.

Pararon en una farmacia que estaba abierta toda la noche y compraron aspirinas. El taxista le ofreció jugo de naranja frío de su termo y ella pronto revivió.

–Algún día tenemos que ir juntos a ver un partido –dijo Wanda–. Es como un mini-carnaval. ¡En el Maracaná entran como doscientas mil personas!

Luigi cometió el error de decir:

–¡Qué exageración! Cien mil, querrás decir.

–¡Ésa es la cifra oficial! –le retrucó el taxista, ofendido–. Pero la verdad la verdad, es el doble, todo el mundo lo sabe.

–¡Por supuesto que entran doscientas mil! La gente se vuelve loca antes, durante y después del partido; toman *cachaça*, tocan el

tambor, tiran fuegos artificiales y hasta sacrifican gallinas; las de-
güellan para la buena suerte; después, las tiran a la cancha.

–Obviamente, vamos a tener que ir –dijo Daniel.

Se bajaron del taxi en una esquina, al lado de una iglesia colonial. Cientos de velas blancas de distintos tamaños iluminaban las
aceras, los escalones que llevaban a la entrada principal y las ventanas del edificio. Bajo esa luz amarillenta, los mendigos que dormían
acurrucados por todos los rincones parecían muertos. Wanda se
quedó unos minutos parada frente a la iglesia, como tratando de
descifrar cada una de las caras de los mendigos.

–Odio la pobreza –murmuró. De pronto, se ubicó de un salto
frente a Daniel, lo abrazó fuerte y empezó a bailar, obligándolo a se-
guirla, alejándose de los mendigos, la iglesia, las velas.

En la esquina siguiente, se detuvo y esperó a Luigi. Cuando estuvo cerca, ella se paró frente a él con las piernas abiertas y los brazos en jarro. Le tiró un par de trompadas al estómago, como si fuera
un boxeador. Él la abrazó y la besó en la mejilla.

–Bueno, ¿y? ¿Qué hacemos acá? –Daniel pudo escuchar los
celos en su propia voz, pero esperó que no se dieran cuenta.

–Vamos a conseguir un poco de *maconha* –susurró Wanda.
Todos se echaron a reír, quizás una vez más por distintas razones.
Luigi y Daniel no le creyeron, pensaron que era un chiste.

Después de caminar un par de cuadras, llegaron a una calle
desierta, excepto por la silueta de alguien que apenas se vislumbra-
ba a la distancia. Apoyado contra una pared, el humo de su cigarrillo
anunciaba su presencia. Wanda le pidió a Luigi que esperara. Después, se acercó lentamente, seguida de Daniel. Se detuvieron a pru-
dente distancia. Wanda le hizo un gesto, cruzó la calle sola, sacó un
poco de dinero de su monedero y lo metió en el agujero del desagüe
de un balcón. Después, se volvió a juntar con Daniel, y ambos volvieron sobre sus pasos hacia donde estaba esperando Luigi. Se sentaron todos en el acera, todavía caliente después de un día de sol
agobiante.

El tipo terminó su cigarrillo y caminó hacia el balcón; sacó el fajo
de billetes, los contó y se los puso en el bolsillo. Se sacó el sombrero
de paja, buscó algo de adentro y lo depositó en el mismo lugar de
donde había sacado el dinero. Después, desapareció a la vuelta de la

esquina, caminando con un andar lánguido, con el sombrero ladeado. Esta escena, repetida posiblemente muchas veces a través de cada noche, parecía sacada de una mala película.

Wanda se levantó y saltó en el aire, gritando de felicidad. Era como si Flamengo hubiera metido un gol; sus gritos se oían a la distancia, retumbaban en las calles silenciosas. Daniel estaba seguro de que había despertado a todo el mundo y por primera vez pensó en la policía. Wanda corrió hacia el lugar donde estaba la droga, se la escondió en el corpiño y regresó silbando. Una nena con su nuevo juguete.

–No te lo tomes tan en serio –le dijo a Daniel, codeándolo con suavidad en el estómago–. Acordate de que estamos juntos.

No sabía qué había visto ella en su cara pero dijo:

–No, si no tengo miedo.

Eran cerca de las dos de la mañana cuando por fin llegaron al departamento. No podían parar de reírse. No querían despertar a Sócrates y a sus amigos pero les costaba mantenerse callados. Una vez dentro de la habitación, Wanda se tomó el trabajo de investigar cada rincón, abrir cada cajón, revisó debajo de la cama, se asomó a la ventana, examinó los libros de poesía.

En uno de los cajones, Wanda encontró preservativos. Tomó uno, lo sacó del paquete y lo infló; le hizo un nudo en la punta y se puso a jugar con él como si fuera un globo. Todos se pusieron a jugar, saltando sobre la cama, parados en el sofá. Cada vez que Wanda le pegaba al globo, gritaba, aullaba y se reía a carcajadas. Imitaba toda clase de gritos de animales: cacareos y graznidos, trinos y silbidos. Luigi y Daniel se sumaron a su loco concierto.

De repente, Sócrates se apareció en la puerta de la habitación enfundado en su robe de chambre de seda roja, hinchado de rabia y listo para cortar cabezas. Se quedó parado ahí sin decir palabra, con la mirada fija en Wanda. Estaba fuera de sí, magnífico con esa expresión de furia, desbordante de celos. En el medio del silencio, Wanda se disculpó:

–Es mi culpa, mujer. Lo siento, de verdad, lo siento –ni Luigi ni Daniel dijeron palabra. Pero Sócrates no iba a ser consolado tan fácilmente; simplemente, se dio vuelta y desapareció después de cerrar la puerta con un golpe.

Wanda se sentó en la mitad de la cama y empezó a armar un porro.

–No le presten atención. Los celos, celos son. ¿Probaron esto alguna vez? –les preguntó, bajando la voz, con un brillo malicioso en sus ojos negros. No, nunca lo habían hecho. Ni siquiera habían visto armar un porro. Wanda pegó con saliva dos papeles de armar, atravesó otro por encima, puso unas hojas secas de marihuana en el medio y enrolló todo con mucha habilidad. Lo prendió, le dio una pitada y se tragó el humo. Les enseñó el procedimiento con mucho interés: les pidió que se taparan la nariz y la boca con las manos para que pudieran retener el humo el mayor tiempo posible. Le ofreció el porro primero a Luigi, que la imitó y se lo pasó de inmediato a Daniel, que hizo lo mismo. Sentados en un círculo sobre la cama, se pasaron el porro un par de vueltas más. Daniel se levantó y apagó la luz del techo; dejó prendido el velador, iluminando las paredes con un leve resplandor.

Wanda les contó que había nacido en las afueras de Manaus, en la ribera norte del Río Negro, en el Amazonas. Su padre nunca había aceptado trabajar en un empleo, Anselmo trataba de ganarse la vida vendiendo hierbas medicinales. Su madre trabajaba de mucama y ganaba apenas lo suficiente para que la familia sobreviviera más o menos dignamente de semana en semana. La familia de Wanda practicaba el más extraño de los cultos: eran seguidores del santo Rabino Moyal, originario de Jerusalén, contratado como rabino de la pequeña comunidad judía de Manaus. Había muerto a principios del siglo XX y era quizás el único rabino que había vivido en esa ciudad. Daniel pensó que le estaba tomando el pelo pero era obvio que Wanda no tenía la menor idea de que él era judío.

A través de los años, la tumba del rabino en el cementerio general se había convertido en un santuario popular; para pedirle milagros, le ponían rosarios en la tumba (en lugar de las tradicionales piedritas de los judíos). El padre de Wanda decía que los poderes curativos de las plantas provenían de las cuentas bendecidas desde el más allá por el rabino muerto.

Después de cada expedición a la selva para recoger las hierbas, su padre regresaba con un humor insoportable, quejándose interminablemente de los mosquitos y de las serpientes. Despotricando en voz alta contra su mala fortuna, se ponía a hacer atados con las plantas y los colgaba en el patio para que se secaran. Después, se comía dos pollos asados enteros bajo el ailanto que había plantado su propio abuelo en el jardín del fondo de la casa; se tomaba una botella entera de *cachaça*, y se acostaba a dormir dos días seguidos en la hamaca que estaba colgada en la galería. Cuando despertaba, se bañaba en la vieja bañera de estaño en agua tibia perfumada con flores silvestres y se ponía su mejor camisa de algodón blanco de Egipto que una vez le había traído un amigo de Leticia, río arriba en Colombia. Se sentaba en el portón del frente de la casa, exhibiendo las plantas medicinales sobre una mesa de póker raída y apolillada. Wanda era la elegida para acompañarlo en sus ventas.

El padre de Wanda tenía una voz suave y unos ojos grandes, oscuros, de mirada intensa. Se lo veía siempre fumar una pipa de cerámica blanca llena hasta el tope con su propia mezcla de tabaco de hierbas. Todo lo que sabía sobre plantas lo había aprendido de su abuela, que seguía viviendo con la familia. Mucha gente lo consultaba sobre distintos achaques y enfermedades pero Anselmo nunca les cobraba un centavo.

En uno de sus viajes por las aldeas que estaban junto al río, había comprado un gallo de riña tuerto, el Pirata. Una vez que estaba muy borracha, Rosa, la madre de Wanda, confundió al gallo con un pollo y estuvo a punto de cocinarlo para la cena. Anselmo logró detenerla justo antes de que le retorciera fatalmente el cogote al pobre animal. Desde entonces, el gallo no sólo anduvo tuerto sino que además el cogote le quedó torcido para siempre. Rosa, llena de remordimientos, nunca se perdonó por ese equívoco. El Pirata se convirtió en su consentido, ella no dejaba que nadie lo criticara. Y Rosa dejó de tomar.

Cuando su padre la invitaba a vender plantas, Wanda sentía un inmenso placer mezclado con un miedo inexplicable: en silencio, contemplaba fascinada a ese hombre corpulento sentado en una sillita de caña en el frente de su casa. Si bien nunca le habían resultado rentables, gracias a las plantas su padre gozaba de cierta reputación en esa comunidad relativamente pequeña. Cuando lograba olvidarse del miedo (y sólo en esos momentos) Wanda se sentía querida, inmersa en un mundo de acertijos y misterios. Le gustaba verlo cómo seleccionaba cada ejemplar, separando delicadamente las raíces enredadas para estudiarlas con una lupa rota atada a una linterna. Más tarde, cuando Wanda empezó a ir a la escuela, aprendió los nombres de algunas de esas plantas en un libro sobre flora brasileña: *parvifolia, muricata, suaveolens, argenteomarginata*. Esos nombres botánicos, repetidos en las tardes de lluvia para memorizar sus lecciones, la hacían sentirse protegida, querida, indestructible.

La historia de Wanda no tenía un final feliz: había quedado embarazada a los quince y su familia la echó de la casa. Según la costumbre judía, su padre la declaró muerta: cubrió todos los espejos de la casa, encendió velas y colocó un vaso de agua y una tela blanca en la ventana de su cuarto.

Finalmente, a Wanda la había ayudado una de las mujeres de clase media para las que trabajaba su madre. La había llevado a un médico (uno de los amantes secretos de la señora) que le hizo un aborto gratis. Después la mujer le regaló algo de dinero, le dio la dirección de su propia hija en Río y la despachó en camino a la gran ciudad. El resto era predecible: muy pronto a Wanda la sedujo un cafishio, que la obligó a trabajar para él.

Mientras escuchaba el relato, una sensación de calma comenzó a invadir el cuerpo de Daniel. Se sentía muy cerca de Wanda pero, al mismo tiempo, algo en su mente lo mantenía alejado. Pronto sintió que se transformaba en dos cuerpos y dos mentes; los sentimientos amorosos que sentía por ella iban acompañados de un impulso muy intenso de querer escaparse. Quería disolverse y desaparecer dentro de Wanda, ardía de deseo por ella, pero se sentía paralizado por el miedo, intimidado. Volvió a perseguirlo el recuerdo de Lola: un fantasma que volvía para reposeerlo. Se dijo que tenía que mirar a Lola a los ojos, enfrentarla de una vez por todas, pero era Wanda en realidad la que le estaba tomando la cara en sus manos, besándolo con ternura.

De golpe, se levantó y fue al baño. Se miró al espejo. Tenía la piel llena de arañas y la picazón era insoportable. Sacó la lengua: *germánicas* en miniatura le caminaban por la boca; su pelo se movía como un animal oscuro sobre su cabeza. Se ordenó a sí mismo no entrar en pánico: "¿Qué es lo peor que te puede pasar, boludo? ¿Cagarte encima?" Se rió, el pensamiento lo inspiró. Sentado en el inodoro, pensó que podía verdaderamente comprender el círculo perfecto de la Naturaleza, entender el Orden del Universo. A lo mejor, había algo especial en esa hierba sagrada, quizás se podría alcanzar verdadera sabiduría a través de ella. Cuando terminó, se sintió mejor. Del baño a la habitación contigua no había mucha distancia, pero en ese momento se transformó para él en una tarea sólo comparable a escalar el Obelisco. Se las arregló para llegar a la cima sin caerse.

En la habitación, Luigi estaba leyendo de la edición bilingüe de Quasimodo:

> *La luna rossa, il vento, il tuo colore*
> *di donna del Nord, la distesa di neve...*

Daniel nunca lo había oído recitar en italiano:

> *e qui ripeto a te*
> *il mio assurdo contrappunto*
> *di dolcezze e di furori,*
> *un lamento d'amore sensa amore.*

–Me dijo la verdad: ustedes no son contrabandistas, ¡son poetas! –exlamó Wanda– Van a ser poetas famosos, como Vinicius de Moraes.

–No, Wanda, él es el poeta –dijo Luigi. Su voz tenía un tono sarcástico.

–Y él es el verdadero escritor –agregó Daniel, con una pizca de resentimiento.

Wanda les pidió que se sacaran toda la ropa. Ella hizo lo mismo y apagó la luz. Daniel no estaba seguro de lo que estaría haciendo Luigi. Tirada de costado sobre la cama, Wanda le aprisionó la cintura entre sus piernas y le dijo al oído:

–Cogeme.

Con la marihuana que tenía encima, no necesitaba que se lo rogara.

Sólo después Daniel pensó en Luigi, que estaba al otro lado de Wanda. Decidió dejarlos y se acostó en el piso, en un lecho improvisado con un par de bolsas de dormir. Prendió un cigarrillo.

Debió de haberse dormido, no recordaba en qué momento Wanda había bajado a acostarse a su lado. Lo miraba:

–Mi *cafetão* es un desastre. Es un perdedor, está arruinado, es un delincuente. ¿Qué futuro me espera con un ladrón de autos? ¿Qué vida me espera, protegida por un malandra? Necesito otro tipo. Quiero tener una familia –con los ojos llenos de lágrimas, Wanda sonreía; era evidente que se sentía feliz–. *Meu amor, meu namorado, ¿te gustaría ser mi cafishio?*

Wanda. Azuquítar Morena.

Daniel se despertó por los ronquidos de Luigi. Wanda estaba a su derecha, con la espalda desnuda apoyada en su brazo, todavía dormida. Se acordó de un sueño: estaba en la casa de su abuela, un pequeño departamento atrás de un negocio. En el sueño, tendría unos once o doce años, y le habían afeitado la cabeza. Su abuela estaba cocinando algo en una sartén.

La habitación se fue llenando con la luz de la mañana. Se quedó recostado sobre el piso, pensando; no entendía por qué había aparecido su abuela en el sueño.

Buscó a tientas el paquete de cigarrillos y, al moverse, se quejó con un leve aullido; sentía un dolor en el hombro, habría dormido mal; después de todo, dormir en el piso no era tan maravilloso. Wanda se despertó y se dio vuelta para mirarlo; después, se desperezó y le sonrió.

–¡Hola! –le dijo Daniel, acariciándole la cara.

Wanda le tomó la mano y la besó. A través de la ventana, llegaba olor a comida: ¡quizás eso explicaba la sartén del sueño! Todavía sin soltarlo, Wanda le preguntó si creía en los que leen la palma de la mano.

–¿No sabías que todos los poetas somos un poco proféticos? Nos manejamos con el azar, consultamos el *I-Ching*, desciframos los mensajes ocultos en las formas de las nubes. ¿Qué querés saber? Preguntame.

–¿Qué es el *I-Ching*?

–Un sistema chino muy antiguo de adivinar la suerte.

–Por favor, leeme la mano –le pidió Wanda.

–¿Sabés quién inventó el arte de leer las manos? –Wanda no sabía– ¡También los chinos! No solamente las líneas son las que importan para una correcta interpretación del futuro. Hay que tener en cuenta muchos factores: la forma de la mano, por ejemplo, o el largo de los dedos.

Se sentó, tomó la mano derecha de Wanda entre sus manos y estudió con atención las líneas oscuras de su palma. Al cabo de un rato, dijo:

–¿Ves estas curvas pronunciadas? Tu muñeca es delgada pero tu palma sobresale. Tenés dedos largos y delicados: la yema de tus dedos son redondeadas y suaves. Esta mano deja traslucir una personalidad sensible e inteligente. Tu línea del destino llega al Monte de Saturno y eso es un buen signo –le predijo un matrimonio feliz, tres hijos, una larga vida. Cuando uno está inspirado, cualquiera puede vender buzones.

En ese momento, se despertó Luigi.

–¿Qué es ese olor? –preguntó–. ¡Tan temprano a la mañana!

–Supongo que es pollo.

–Sí –dijo Wanda.

–Primero lo fríen en aceite y después lo cocinan en una salsa hecha con sangre de animales; la sangre, por supuesto, es el principal ingrediente –seguía inspirado por su previa lectura de la palma de Wanda–. Es una receta secreta, sólo los poetas tienen acceso a ella. A mí me la enseñó Vinicius.

–¡Qué sarta de pelotudeces! –dijo Luigi riendo.

Daniel podría haber dicho que Dios era un ave rara del Amazonas y que el mundo se había creado a través de su culo, en esos momentos Wanda estaba tentada de creerle todo.

Cuando por fin salieron de la habitación, se vieron enfrentados con un Consejo de Guerra: Sócrates, Amadeu y Fulvio los estaban esperando en el salón. Los tres se habían vestido como hombres, algo inconcebible sólo unas horas atrás. Asunto serio, nada de mariconadas. ¿Acaso era tan imperdonable haber traído una mujer al departamento? Quizás la presencia de Wanda había sido un gran insulto, mucho más importante que todo el barullo que habían armado la noche anterior. Una cosa era evidente: habían sido juzgados y condenados. Sócrates sugirió que se fueran del departamento:

–Y cuanto antes, mejor. Conmigo no se jode –sonaba amenazador. Daniel pensó una vez más que no tenía ni idea de cómo se ganaban la vida esos tipos. Quizá no sólo eran travestis devotos de alguna religión negra, sino también criminales de mala muerte. Su actitud era totalmente opuesta al trato amistoso de antes. Se acordó de la primera vez que Sócrates les había abierto la puerta del departamento, de lo agresivo que les había parecido entonces.

Sin decir palabra se volvieron al dormitorio y empezaron a guardar sus cosas en las valijas. Su biblioteca se había ampliado bastante: muchos de los escritores que habían conocido durante esas
semanas les habían regalado ejemplares de sus libros. Wanda, que
los había seguido, se sentó en la cama; estaba callada y se sentía responsable por lo que estaba pasando.

–No les hagas caso –le dijo Daniel–. Que se vayan a cagar.

–Maricones, maricones de mierda –Luigi no podía parar de quejarse. Daniel esperaba que no lo estuvieran oyendo.

–¿Qué van a hacer? –preguntó Wanda.

–Mudarnos –dijo Daniel, impaciente.

–De todos modos, yo odiaba este lugar –dijo Luigi. No le creyeron.

Cuando llegó el momento de irse, los brasileños se quedaron encerrados en sus propias habitaciones; no hubo fiesta de despedida.
Luigi, parado en el medio del living, recitó en voz alta como si estuviera dando un sermón: *porque el amor es fuerte como la muerte; los
celos, crueles como la tumba.* Resabios del seminario.

Los tres se encontraron en la calle, confundidos. Caminaron sin
rumbo; compraron el *Jornal do Brasil* y se sentaron en un banco en
el parque de Flamengo para estudiar los avisos clasificados. Estaban
bajo un jacarandá, protegidos del sol por su sombra frondosa. Daniel siempre había sentido cierta pasión por ese árbol; le atraían las
flores en forma de campana que brotaban en la primavera, formando una nube violácea; disfrutaba viendo el contorno irregular del
tronco y las ramas que se recortaban contra el cielo, la alfombra de
color lavanda que formaban las flores caídas después de las lluvias.
Y sobre todo le gustaba el nombre: *ja-ca-ran-dá,* una palabra portuguesa que pronunciaba en castellano jugando con las vocales: *jequerendé, jiquirindí, jocorondó, jucurundú.*

En el diario había muchas habitaciones y departamentos disponibles; era cuestión de decidirse en qué parte de la ciudad querían
vivir. Daniel prefería quedarse cerca de Lapa; Luigi tenía ganas de
cambiar, quería mudarse a vivir cerca de las playas.

–Eso es para turistas. Ahí ya estuve y no quiero volver. Nos vamos
a divertir mucho más cerca del centro.

Daniel estaba irritado; a pesar de sus esfuerzos por controlarse, no podía evitarlo. No entendía lo que había pasado con los travestis pero tampoco le importaba mucho. En cambio, estaba pensando en la carta de Damián; se dió cuenta de que sus breves comentarios sobre la situación política en la Argentina lo habían afectado; una sombra negra le había invadido su alma. Sí, la carta y el encuentro con Eugenio se habían combinado para hacerlo sentir deprimido, mufado; los travestis eran irrelevantes.

Wanda se alejó del banco; no parecía tener interés alguno en la discusión. Pronto la rodearon unos gatos famélicos. Alzó a un par y se puso a hablarles mientras los acariciaba. En ese momento, Daniel no podía entender cuál era la gracia de ponerse a jugar con gatos callejeros llenos de pulgas.

–¡Dejá esos gatos de mierda! –gritó.

Wanda lo miró con ojos tristes, dejó los gatos en el suelo y se alejó. Linda forma de terminar su nueva aventura romántica. Se comportaba como si Wanda y él fueran una pareja desgastada por años de matrimonio; él, el marido intolerante, harto de las excentricidades de su esposa.

–¿La vas a dejar irse así? –preguntó Luigi–. No seas tarado.

–¡No te metás! Si vos querés, andá a buscarla –Daniel deseaba salir corriendo tras ella, disculparse, pedirle perdón; en cambio, se quedó atornillado al banco, simulando indiferencia.

–¡No podés ser tan boludo, huevón! –exclamó Luigi mientras caminaba hacia Wanda. Daniel se quedó inmóvil, anclado en su testarudez, contemplando a ambos desaparecer a la distancia.

Llevaba más de una hora esperándolos y todavía no habían vuelto. ¿Y ahora qué? Le vino a la mente una frase: *La pasión juega a los dados con el cuerpo de tu certidumbre.* La escribió en su libreta. Quizás la podría usar en un futuro.

Miró a su alrededor: la gente había invadido el parque con sus pelotas de fútbol y sus radios. Se sintió incómodo con las dos valijas a sus pies, las hojas sueltas del diario volando por todos lados, esos gatos hambrientos girando a su alrededor, maullando, restregándose contra sus piernas, jodiéndolo con sus pedidos de comida. Se levantó, dobló las páginas de los avisos clasificados, levantó su pesado equipaje y empezó a caminar hacia el restaurante que estaba en la cima del parque. Iba a tener que repasar la lista de los avisos con más tranquilidad, decidir qué departamento le gustaba y hacer los llamados necesarios desde el restaurante. Al carajo con Wanda. A la mierda con Luigi.

Lo que más le preocupaba en ese momento era no ser identificado como un turista perdido en la ciudad. Ya había oído demasiadas historias de violencia contra extranjeros en la calle. No quería arriesgarse. También estaba innecesariamente consciente de haber fumado marihuana la noche anterior; era ilegal y su uso estaba severamente penado. Como experiencia, había sido sensacional; nunca había probado nada igual. Mientras estuvo fumado se había mantenido en un equilibrio mental delicado y precario, caminando por la cuerda floja; sin embargo, había habido algo sublime en todo aquello. Ahora que podía reconocer el olor, se daba cuenta de que todo el mundo la fumaba en todas partes: en los teatros, en los recitales al aire libre, en los cines, en la playa. En contraste con esa aparente tolerancia social, la policía era muy dura con los que agarraba. Daniel no podía jurar que esa mañana no andaba deambulando por ahí con la palabra *maconha* escrita con pintura luminosa en su frente. Si tenía una certeza era la de no querer pasar unas vacaciones en una cárcel de Río.

Desde lo alto del restaurante, la playa se extendía allá abajo como una hermosa cinta de arena alrededor de la bahía. No podía entender cómo se las arreglaban los *cariocas* para ir a la playa a toda hora, todos los días. Jugaban al fútbol, nadaban, se bronceaban bajo el sol días hábiles y feriados por igual. Les habían advertido acerca de la contaminación de esas aguas: las playas cercanas al centro recibían los afluentes cloacales de la ciudad y parte de sus desechos industriales. Pero los *cariocas* simplemente ignoraban lo que se suponía que debían saber y jugaban en el agua tanto como en la arena contaminadas.

Estudiando los anuncios en el diario, un par de ellos le llamaron la atención: una comunidad de estudiantes pedía nuevos miembros; una artista tenía un cuarto para alquilar. Nunca había oído hablar de una "comunidad"; le despertaba curiosidad. Lo que más le atraía de ambos avisos era que compartían la misma ubicación: el morro de

Santa Teresa. Daniel había subido al morro en el tranvía abierto que andaba a lo largo del antiguo acueducto desde el centro de la ciudad. En una época las viejas casas coloniales de esa zona, construidas sobre las calles adoquinadas, habían pertenecido a las clases altas. En las cercanías de esas mansiones elegantes, los pobres habían formado sus *favelas*, con las mejores vistas de la ciudad. Cuanto más arriba uno subía en las villas miserias, más peligrosas se tornaban. Ahí vivían los marginales de Río: mafiosos, proxenetas y delincuentes; asaltantes, fugitivos y carteristas; un gran surtido de todo tamaño y color. Con el tiempo, los ricos se fueron de sus casas y ahora eran habitadas por estudiantes, artistas, músicos y escritores. La idea de subir y bajar todos los días en el *bondinho* con esa mezcla de gente le atraía.

Debería habérselo imaginado: el teléfono público del restaurante no funcionaba. Después de haber cargado las valijas llenas de libros hasta la cima del parque, ese pequeño inconveniente bastaba para hacerlo sentirse abatido. Se reclinó en su asiento pensando dónde era que a las palabras se las llamaban *porte-manteaux*. ¿En algún libro de Lewis Carroll? Se quedó mirando las valijas tratando de imaginarlas como palabras llenas de significados, implicancias, connotaciones, malentendidos y contradicciones. Su amor por la poesía se basaba en esa fascinación por las palabras, no sólo por lo que podrían llegar a comunicar de un modo claro y preciso sino por lo que podrían sugerir y evocar a través de sus ambigüedades. Las palabras podían decir la verdad y, al mismo tiempo, confundían y ocultaban. Escribió en su cuaderno: *La imposibilidad de una metáfora que se resiste te confronta con la extraña pasión presente en el deseo de escribir.* Se imaginaba el escribir como una parodia de una lucha física contra las *porte-manteaux*. La imagen era ridícula: Johnny Weismüller peleando con los cocodrilos de caucho en las falsas lagunas africanas de las primeras películas de Tarzán. Aunque fascinado por las palabras, al mismo tiempo quería destruirlas, arruinarlas, forzarlas a revelar su falsedad. Pero los cocodrilos/*porte-manteaux* siempre ganaban la batalla. Recitó en voz alta:

> *La terre est bleue comme une orange*
> *Jamais une erreur les mots ne mentent pas...*

Esos versos de Paul Eluard eran prácticamente lo único que sabía de francés.

Finalmente, se alejó del restaurante con las valijas a la rastra. Empezaba a sentirse derrotado, un chico perdido en la selva. Patético. Encontró un teléfono público que funcionaba. Se sentó sobre una de las valijas al lado de la cabina a la espera de que las dos adolescentes terminaran su llamada; era como si tuvieran todo el tiempo del mundo, ¿para qué apurarse? Chismoseaban en medio de risas nerviosas y exclamaciones; de cuando en cuando lo miraban, haciéndole caídas de ojos y gestos con la cara; chillaban y se reían en un tono burlón, desagradable. Se quedó sentado, indiferente a todo ese alboroto. Lo que había empezado como una llovizna se transformó en una lluvia torrencial. No se movió. Las chicas de la cabina se iban a sentir todavía menos motivadas a cortar. Compuso en su mente una frase corta: *Lluvia – Como la muerte: sin ella, nada nuevo surgirá.* Sacó una lapicera y la escribió en su libreta, protegiéndola con las manos para que no se mojara. Agregó una nota al final: *a desarrollar.*

Ah, semejante grandiosidad.

La lluvia paró tan rápido como había empezado. Se le ocurrió que las chicas podían haber trampeado el teléfono; hacía rato que no las veía poner dinero. Quizás ni siquiera estaban hablando con otra persona; a lo mejor todo era puro teatro. De pronto, invadido de resentimiento y frustración, comenzó a golpear un lado de la cabina. Enseguida cortaron y salieron apresuradamente. Se alejaron corriendo, muertas de risa. "Una verdadera fiesta a expensas tuyas, ¡pedazo de imbécil!", se dijo.

El número de la comunidad daba ocupado, así que probó con el de la artista. Atendió una mujer. Era pintora y vivía con su hijo de cuatro años en una casa en la que también tenía su atelier; según le explicó, tenía una habitación para alquilar con vista a los morros. Daniel le contó un poco sobre él y no mencionó a Luigi. La pintora le dictó su dirección. Mientras la anotaba y prestaba atención a las instrucciones para encontrar la casa, vio estacionar una camioneta destartalada junto a la cabina telefónica. Un muchacho saltó desde la caja, tomó las valijas, las arrojó a la camioneta y, de un salto, volvió a subir. La camioneta arrancó, desapareciendo de inmediato en el tráfico. La operación duró apenas unos segundos.

Daniel estaba anonadado. Dejó caer el tubo y salió; dio la vuelta a la cabina un par de veces, buscando las valijas. No podía creer que ya no estuvieran ahí. Volvió a la cabina telefónica. Podía escuchar la voz de la mujer que gritaba desde el otro lado de la línea: "¡Hola! ¡Hola! ¿Está todavía ahí? Hable, por Dios, diga algo." Se quedó mudo; ella se había dado cuenta de que algo pasaba y no colgó. Después de una pausa, recogió el tubo y apenas pudo murmurar:

–Sí, sí, está todo bien. Lo único es que me robaron mi equipaje. Nada grave.

–Ah, ¿eso es todo?

–Sí, eso es todo.

Ambos se quedaron en silencio una vez más y después Daniel agregó:

–Anoté las instrucciones. Voy para allá lo antes posible.

La conmoción provocada por el robo no le duró mucho. Sintió cierta admiración por el coraje de esos chicos, parecía tan fácil. Enseguida revisó la mochila para ver qué le había quedado: documentos, dinero, la agenda, cigarrillos, la libreta de direcciones. Lo esencial estaba ahí. Trató de recordar el contenido de su valija pero no pudo, excepto por los libros; sabía que los extrañaría.

Por primera vez, iba a viajar liviano por el mundo. No tenía que lamentarse: había pocas oportunidades en la vida para empezar de cero, sin posesiones.

6

Querido Daniel:

La postal de la chica en la playa me encantó. Y tu carta me alentó mucho. Me sorprendiste: así que, después de todo, sabés escribir cartas. Gracias. Necesito todo el apoyo que pueda conseguir. Tengo que decirte que la foto tuya con Luigi en el Festival es impresionante. Estoy ansioso por leer la antología de poemas. Ahora es medianoche. Escribo esta carta mientras Laura y los pibes duermen. Acabo de llegar de una reunión muy caldeada en el sindicato docente: cuando la gente tiene hambre, entra la desesperación; se vuelve loca o violenta. Supongo que estarás también preocupado por la situación en Brasil. La semana

pasada leí en Marcha *una nota de un tal Souza Barros, ¿lo ubicás?*
Las estadísticas que cita son tremendas: 4% de la población controla
el 50% de la riqueza; hay 40.000.000 de desnutridos; miles de chicos
abandonados en las calles; por cada dólar que ganan de la exporta-
ción de bananas, sólo 11 centavos quedan en el país. Y así y todo, la
situación política no puede ser peor que la de acá, la de nuestro queri-
do país. La muerte se convirtió en una obsesión; hay una invasión de
afiches en las calles: Evita Perón, Juan Manuel de Rosas, Felipe Valle-
se, el Che Guevara. ¿Será una visión profética del futuro? ¿Nos esta-
remos enamorando de la muerte? ¿Estaremos predeterminados a caer
en una guerra civil? Lo dudo. Yo sigo disfrutando de mis lecturas y mi
escritura más que de cualquier otra cosa en el mundo. Es una activi-
dad individual y solitaria, un placer egoísta que mis amigos "compro-
metidos" desaprueban severamente. Pero como podrás ver, todavía
sigo yendo a asambleas sindicales, trato de participar: si hay que des-
cender a los infiernos, más vale que me haga oír. Se me ocurrió que la
Argentina es una fantasmagoría, un espejismo Joyceano que sólo el
plagio podría reflejar. No puedo justificar esta frase en estos momen-
tos, pero es lo que siento. Mis alumnos siguen dándome algo de satis-
facción, pero tengo miedo por ellos: empezaron por los universitarios
pero ni siquiera los de la secundaria se salvan de las persecuciones.
El manuscrito para el libro sobre la historia de la represión anda a los
tumbos, ¿cómo voy a ocuparme del pasado si ni siquiera puedo con el
presente? El Bigotudo es un caudillo autoritario, ascético, tan severo
como constipado. Ha formado un gobierno completamente católico, y
muchos de ellos son nacionalistas. ¿Sabés quién es Mario Amadeo, un
simpatizante de la Guardia Restauradora Nacionalista? Está de gran
amigote del Bigotudo. Si yo fuera judío, eso me preocuparía. Otro anti-
semita está a cargo de la policía. Hubo una cantidad de allanamientos
en el Once y en la calle Libertad. ¿Te acordás de Sergio Kustin? Ahora
vive en los EEUU. Me mandó un recorte del New York Times, *en el que*
comparaban en un editorial las tácticas de este gobierno con las tropas
de Hitler en los '30. Un primo mío se fue a vivir a Australia. Es médico
pero no le permiten ejercer, así que abrió una panadería en Sydney y
ahora se gana la vida vendiendo medialunas, cuernitos y bolas de frai-
le. Me invitó a irme para allá. Parece que estamos condenados para
siempre a ser gobernados y controlados por rufianes y delincuentes

(aunque nuestro presidente no se podría describir exactamente como uno de ellos). Por supuesto, la invitación de mi primo es tentadora. ¿Pero cómo voy a dejar a mis familiares y amigos? No puedo soportar la idea de que mis dos hijos crezcan en un país extranjero, hablando otro idioma. Buenos Aires es la ciudad que amo, en la que aprendí el duro oficio de vivir. Bueno, basta. Espero que los libros "peligrosos" que escondimos para vos ya te hayan llegado. Tu mamá vino a buscarlos hace un tiempo. Mantenete en contacto. Saludos a Luigi. Sé que Laura quería mandarte un beso. Un abrazo grande. Chau, Damián.

7

Caluroso y húmedo, el tiempo era sofocante. Mientras el *bondinho* subía despacio por el morro, comenzó a llover otra vez. Desde hacía muchos años, cada vez que llovía –no una simple lluvia, no una de esas lloviznas aburridas de invierno, sino las verdaderas lluvias tropicales, violentas, torrenciales de las tardes calurosas de verano–, Daniel se acordaba inevitablemente de Raúl González Tuñón:

Entonces supimos que la lluvia también era hermosa,
Unas veces cae mansamente y uno piensa en los cementerios
[abandonados.
Otras veces cae con furia, y uno piensa en los maremotos que se
[han tragado
tantas espléndidas islas de extraños nombres...

El tranvía estaba casi vacío; mujeres volvían del mercado cargadas con sus bolsas de compras. Sentadas en los bancos estrechos, permanecían en silencio; con ese calor, hablar era un gran esfuerzo. Daniel se las ingenió para bajar en la parada correcta; encontró la casa sin dificultades. En cuanto la mujer abrió la puerta, le empezó a gritar:

–Soy Olinda Morais. Ya era hora de que llegara, estoy harta de esta situación, ya me quejé muchas veces al encargado del edificio pero no me hace caso, cree que estoy loca. Perdí un día entero en la Comisión de Recursos Hídricos, otra tarde entera la perdí hablando al cohete con el imbécil que me atendió en el Departamento de Obras

Sanitarias; él me mandó a ver a un colega, que resultó ser otro tarado de la Oficina de Suministro de Agua de la Municipalidad, un inútil igual que todos los demás. ¿Qué más tengo que hacer, a ver? Dígame, yo quiero saber una cosa: ¿usted realmente tiene la autoridad para tratar este tema, ¿sí o no? Si el mundo estuviera manejado por mujeres, las cosas andarían muchísimo mejor, se lo puedo asegurar. Venga conmigo, véalo con sus propios ojos.

No le había dado la oportunidad ni de abrir la boca. Olinda era menuda, de piel oliva y ojos grandes. Se movía con gestos cortos y precisos, con una mezcla ambigua pero atractiva de nervios y sensualidad. A pesar de estar tan enojada, sus ojos verdes sólo comunicaban generosidad y ternura. Su pelo negro, recogido por una cinta multicolor al tope de su cabeza, terminaba en una trenza descuidada y a punto de deshacerse. Le tendió la mano con un gesto seguro, como dándole una orden a un niño. Se dejó guiar como un ciego a través del caos de papeles, libros y discos del living.

Olinda lo llevó al baño. Aturdido por su torrente verbal, Daniel empezó a disfrutar perversamente del evidente malentendido. Ella no había parado de hablar en todo el recorrido por el pasillo largo y oscuro.

–Nunca vi nada igual –seguía quejándose–. Nada pero nada igual a esto.

Una vez en el baño, señaló los pequeños hongos verdes que salían de todos los rincones y trepaban por la bañera y las paredes. El olor de la humedad era insoportable, empeorado por el incienso dulzón que Olinda había prendido para esconderlo. Y no dejaba de hablar:

–El agua sube por cada agujero de desagüe. En lugar de salir, el agua entra por los agujeros. ¿Cómo se lo explica, dígame? Estoy harta, primero, de no tener agua corriente, y después, de tener que secar esto todo el día.

Empezó a contarle de su abuela, de cómo había tenido un problema similar en su pueblo. Pero Daniel ya no la escuchaba. Estaba claro que ése no era su día. Tendría que haber llamado el número de la comunidad de estudiantes. No obstante, pensó, "esta mujer no está loca"; había sonado generosa y simpática en la conversación telefónica.

Y esos ojos verdes.

Cuando volvió a prestarle atención, Olinda estaba diciendo:

–El agua no paraba de salir de los orificios de la pileta de la cocina y por todos los desagües de la casa.

–¿La casa de quién?

–¡La de mi abuela!

–Ah, claro.

–Se supone que el agua tiene que salir por los orificios para abajo, no subir por ellos. ¿Cómo me explica esto? Hasta que por fin mi abuela decidió llamar a un cura para que le exorcizara la casa. Y funcionó.

–Me alegro –le dijo finalmente Daniel con exagerada cortesía. "¿Y ahora cómo salgo de esto?", era en realidad en lo único que pensaba.

–Bueno. ¿Qué me dice, entonces? –le preguntó de golpe Olinda. Lo miró directo a los ojos, en espera de una respuesta. ¿Quién se suponía que era él? ¿Un administrador de servicios públicos o un representante de la Iglesia para hacer milagros? ¿Qué papel asumir? Las cosas ya habían ido demasiado lejos.

–Mire, yo estoy seguro de que lo vamos a poder arreglar –se oyó decir. Sería cuestión de conseguir un exorcista.

–Qué bien. Yo confié en usted en cuanto abrí la puerta.

Al cabo de unos segundos, se encontró fuera de la casa, abatido. Olinda le cerró la puerta con una sonrisa. Había sido completamente derrotado en los primeros segundos del primer round. El knock-out no duró mucho. Se dio vuelta y golpeó la puerta con todas sus fuerzas. Cuando Olinda la abrió, esta vez fue Daniel el que asestó el primer golpe. No era sólo con Olinda: estaba tirando trompadas imaginarias contra los travestis, las chicas del teléfono público, los tipos que le habían robado las valijas, el bigotudo de Onganía.

–Ahora *usted* me va a escuchar a *mí*. Y escúcheme bien. No abra la boca hasta que yo se lo diga. ¿Alguna vez perdió sus valijas? Bueno, la verdad es que no me importa. Yo acabo de perder todas mis posesiones, ¿me entiende?

A Olinda le llevó una fracción de segundo entender a qué se refería. Soltó una carcajada contagiosa y muy pronto estaban los dos matándose de risa. Cuando se recuperó, Olinda se fue a la cocina y volvió con un bol con fruta cortada en trozos: *biribá, ameixas, melan-*

cia, graviolas y su favorita, *abacaxi*. No era sólo la fruta sino también la palabra: *a-ba-ca-xi*. Sonaba como el nombre de un dios generoso y protector del *candomblé*. La palabra evocaba en la mente de Daniel todos esos otros nombres que los indígenas habían puesto a las plantas de la selva, a sus frutas deliciosas, sus animales asombrosos. Era posible que la palabra misma hubiera creado el sabor increíble del ananá. Comer *abacaxi* en Río lo acercaba al paraíso.

Pinturas de Olinda Morais colgaban por todas las paredes de la casa. Muchas de ellas eran del *sertão*, los desiertos olvidados del nordeste de donde ella venía.

Olinda resultó ser una pintora muy admirada en su país, tanto por su capacidad como artista como por su compromiso con el Partido Comunista, lo que le había costado varias noches solitarias en la cárcel. Conocía bien la historia del nordeste. Le habló de los *cangazeiros*, los bandidos del *sertão*, figuras románticas legendarias que supuestamente robaban a los ricos para darle dinero a los pobres. Le contó de las insurrecciones que habían barrido esas tierras a principios del siglo XIX, de los movimientos mesiánicos de los seguidores de un fanático religioso antirrepublicano que durante mucho tiempo no pudieron ser derrotados, ni siquiera por el ejército.

–Hay muchos poemas, películas, obras de teatro y pinturas inspirados por el Nordeste –continuó Olinda–. Tenés que verlo todo.

Olinda fue a la cocina una vez más y volvió con una mezcla de naranja y *mamão* en una jarra. Hacía más de dos horas que estaban charlando y recién entonces Daniel mencionó a Luigi.

–Mirá, todavía no estoy seguro, pero a lo mejor voy a compartir la habitación con él –explicó Daniel–. Es un buen tipo. Te vas a llevar bien, vas a ver. Es escritor.

–Si es amigo tuyo, seguro que me va a caer bien –y después, preguntó–: ¿Es tu novio?

–¡No, no! ¡Nada que ver! –protestaba demasiado, la pregunta lo había sacudido. Nunca se le había ocurrido que alguien pudiera pensar que él y Luigi eran homosexuales.

–Bueno, si les gusta la habitación, yo no tengo problemas.

Estaba recostado de espaldas sobre la esterilla redonda que había en el piso de la sala, las manos cruzadas por detrás de su cabeza, sosteniéndola.

–Yo nací en Bom Jesus de Lapa, un lugar sobre el río, donde la gente del *sertão* hace sus festivales religiosos. Ah, mi triste país muerto de hambre, el río San Francisco es el único amigo del pueblo. Todos hablamos de él como si fuera un pariente generoso y comprensivo, dependemos completamente de él.

Hizo una pausa, suspiró y siguió:

–En el *sertão*, la gente que vive lejos del río sufre mucho: los chicos comen tierra para compensar la falta de hierro; por eso tienen la piel cenicienta, sin color. Yo tuve la suerte de nacer junto al río.

No quería que Olinda dejara de hablar, deseaba seguir escuchando sobre su vida, que le contara sus sueños, pero estaba agotado.

Lo último que recordó antes de quedarse dormido fue la imagen del pájaro carpintero al otro lado de la ventana, su plumaje brilloso iluminado por el sol rojizo del atardecer, el pico alargado picoteando el tronco de un árbol. Pensó: "Yo me quedo a vivir acá para siempre".

Cuando abrió los ojos, Olinda estaba sentada en el piso y le sostenía un pie con las manos. Le estaba masajeando suavemente la planta del pie derecho hacia arriba, hacia abajo, otra vez hacia arriba, deteniéndose en algunos lugares, presionando ciertos puntos.

–*Shlof gikher, me darf di kishn.*

Reconoció el idioma pero estaba confundido. Todavía estaba medio dormido, dudaba si había oído bien; era como si las palabras no se correspondieran con quien las pronunciaba. Le costaba despertarse del todo.

–Eso parece idish. ¿De dónde lo sacaste? Vos no sos judía, ¿no?

–Yo, no. Pero mi marido sí lo era –el único hijo de una pareja de sobrevivientes del nazismo–. ¿Te dije que era escritor? Murió de cáncer, muy joven –explicó con los ojos llenos de pena. Había pensado que Olinda era divorciada, o que el padre de su hijo la había abandonado, o que su embarazo había sido un desliz de su juventud. No podría haberse imaginado una muerte en la familia.

–¿Sabés lo que quiere decir esa frase? "Dormí más rápido, necesito la almohada".

Los ojos de Olinda habían recuperado su brillo, su tristeza se había disipado.

–No tengo almohada –se quejó Daniel.

Cuando era chico, su abuela le repetía a menudo algunos de los dichos tradicionales en idish. Aunque no entendiera del todo su significado, disfrutaba con los juegos de palabras, con la sorprendente juxtaposición absurda de situaciones opuestas, con ese humor tan especial.

–Cada vez que mi abuela tenía que castigarme por haberme portado mal, me decía: "¡No seas tonto! *Got heyst oykh keyn nar nit zayn!"* –"Dios nunca le pidió a nadie ser estúpido".

–¿Cómo sabías que yo era judío? –le preguntó al rato.

–¿Con un apellido como Goldstein?

Olinda no había dejado de masajearle los pies durante toda la conversación. Estaba sorprendido: aunque el masaje era muy sensual, no se había convertido en algo erótico. Prefería que las cosas siguieran así.

–¿Quién es Wanda? –Olinda lo miraba fijo. Daniel trató de recordar de qué habían estado hablando antes de que él se durmiera. No creía haberla mencionado.

–La nombrabas en sueños todo el tiempo: "Wanda, Wanda, Wanda" –explicó Olinda poniéndose de pie y dando por terminada la sesión de masajes.

Daniel sintió unas ganas irresistibles de levantarse y salir corriendo a buscarla. No quería seguir hablando.

–Me gustaría darme una ducha –dijo abruptamente. Recordó el olor insoportable del baño. También se dio cuenta de que no tenía qué ponerse; toda su ropa se había ido con las valijas.

–Podés ducharte en el patio. Improvisé un sistema; es un poco primitivo pero funciona.

Olinda sacó una toalla de los estantes abiertos que había al lado del baño y se la dio. Daniel se sintió reconfortado por el olor a naftalina. Le recordaba las tardes lluviosas en la casa de sus padres, la imagen de su madre sacando los pulóveres y las medias de lana de sus bolsas de plástico para ser usados en el invierno.

–Acá tenés jabón y champú. Vení, te muestro dónde es.

Una puerta al final de un pasillo largo daba a un patio cuadrado en el que había tres ventanas. En cada una de ellas había una maceta con una variedad distinta de tomillo: rosado, blanco, malva. El fondo del patio era una pared de ladrillos de espaldas a la selva. En el medio, había un poste de madera que sostenía una ducha improvisada; en la parte superior, había una vieja regadera de metal. Estaba apoyada sobre un brazo móvil que se podía inclinar tirando de una cuerda larga; cada vez que uno tiraba de la cuerda, salía un chorro de agua. Una manguera estratégicamente ubicada sobre la tapia llenaba la regadera de agua desde arriba.

–¿Podrás? ¿Qué te parece? –Olinda señaló la regadera–. ¿Te muestro cómo funciona? –Olinda ya estaba por tomar la cuerda.

–No es tan complicado –le respondió. Ella se detuvo y lo miró, dándose cuenta de que lo estaba tratando como a un chico.

Cuando Olinda se fue, se sacó la ropa y la apiló en un rincón del patio. A pesar de la lluvia, seguía el calor y la humedad; tarde o temprano, iba a llover de nuevo. Le gustaba el calor, pero a veces era tan agobiante que lo hacía sentirse enfermo, incapaz de moverse o de pensar. Decidió lavar su calzoncillo y sus medias; mientras las estaba recogiendo del suelo, oyó la voz de una mujer que le gritaba desde una de las ventanas vecinas:

–¡Sábado!

¿A qué se refería? ¿Qué tenía que ver que fuera sábado? No iba a ser fácil mantener una conversación, así desnudo como estaba, con una anciana desdentada con un enorme *charuto* en la boca, diciendo cosas sin sentido. Sin soltar el cigarro, la mujer explicó:

–Los tambores, los tambores, esta noche tocan los tambores. Si quisieras, podrías visitarlos mañana; aceptan visitas los fines de semana.

Sólo entonces, los llegó a oír. Al principio, era un ruido sordo y distante. Se concentró. Pronto el sonido que provenía del valle llenó el espacio con sus vibraciones. Era contagioso: el ritmo le inundaba el cuerpo, le aceleraba el corazón.

–*Tá legal ¿non tá?* –exclamó la mujer.

Extraño estar ahí parado, tapándose los genitales con el calzoncillo y las medias en un intento patético por cubrirlos, mientras escuchaba a la gente de las *favelas* que ya se preparaba para el Carnaval, ensayando sus canciones y sus bailes.

¿Qué hacer? Decidió no prestarle atención a su pudor; volvió a ponerse bajo la regadera y tiró de la cuerda. Lavó rápido su ropa y la colgó de dos clavos que había en la pared. Terminó de bañarse.

La anciana no parecía esperar respuesta; vivía encerrada en su propio mundo, contenta de andar perdida por esos lares. Se secó con la toalla, volvió a ponerse sus jeans y una remera que le prestó Olinda y le dijo adiós a la mujer.

Al bajar la colina en el *bondinho*, se preguntó dónde y cómo iba a encontrar a Luigi. Lo mejor sería ir a Lapa y quedarse esperando en el Bar Lua; sabía que a Luigi probablemente se le ocurriera hacer lo mismo. Con un poco de suerte, Wanda estaría con él.

El tranvía estaba vacío, nadie bajaba a la ciudad a esa hora. Se sentó en la parte trasera del vehículo. Había llevado la carta de Damián para mostrársela a Luigi; la leyó una vez más. Las cosas no andaban bien; la carta confirmaba su malestar previo, lo hizo sentirse culpable. Era difícil conectarse con lo que pasaba en la Argentina. Mientras Damián hablaba de una posible obsesión con la muerte, él se sentía liberado; el futuro –aun siendo tan incierto– estaba lleno de promesas, de cosas por hacer. Damián mencionaba una improbable guerra civil. ¿Cómo imaginarse *eso*?

Eran casi las once cuando por fin llegó al bar: siendo un sábado a la noche, el lugar estaba repleto de gente. Había mucho ruido y la música pasaba de la *bossa nova* –que ya se estaba convirtiendo en parte del *establishment* (pasada ya la época en la que João Gilberto había conmocionado a la gente con su *Chega de Saudade*)– a un sonido nuevo, una nueva forma de música popular influenciada por el jazz y por el rock. El humo de los cigarrillos se mezclaba con el de los porros que pasaban de mano en mano. Daniel no podía entender por qué la policía, que parecía estar tan en contra de la marihuana, no allanaba el local y se los llevaba a todos de una vez.

Pidió una cerveza en el mostrador y miró a su alrededor. Le llevó un tiempo acostumbrarse a la luz tenue. Después de su segunda cerveza, estaba a punto de darse por vencido cuando vio a Luigi al final del salón, sentado en una mesa con otro hombre, un desconocido.

–¿Dónde carajo te habías metido? Hace como tres horas que te estoy esperando –se abrazaron y se palmearon la espalda, contentos.

–Tengo mucho que contarte.

–A ver.

–Perdí las valijas, me las robaron unos guachos –dijo Daniel, a manera de breve explicación.

–Eso sí que es gracioso.

Pero Luigi no se estaba riendo. En cambio, preguntó:

–¿Qué más?

–Tenemos dónde vivir. Es una habitación en una casa grande, en el morro de Santa Teresa. Hasta se escuchan los tambores de las *favelas*.

–¡Bárbaro! ¿Cuánto cuesta? –era una pregunta perfectamente razonable, pero en ningún momento se le había ocurrido preguntárselo a Olinda.

–Ni idea. La dueña es una pintora. Se llama Olinda Morais, te va a gustar, es del nordeste y es comunista.

–¡Todo el mundo conoce a Olinda Morais! –dijo el desconocido que estaba con Luigi en la mesa.

–Te presento a Leandro Cabral. Es el director de la orquesta API, la Asociación Promúsica de Ipanema. Están tratando de hacerse profesionales para poder ganarse la vida como músicos.

–Permítame la gentileza de invitarlo a una bebida –dijo el hombre. Sin esperar respuesta, se levantó y fue al mostrador.

–¿Quién es este tipo? ¡Suena tan pomposo!

–Yo estaba acá lo más bien, solo, hace un rato agarró una silla, se presentó y se sentó. De golpe, empezó a pontificar sobre la música brasileña moderna, el tipo está obsesionado. Me hace acordar a uno de los curas del seminario, lo bauticé "el señor Sotana". Hay que oírlo, se cree el Papa.

–¿Dónde está Wanda? ¿Qué hicieron después que me dejaron?

–Enseguida viene. Estuvimos caminando un rato, después me llevó a su pieza. Tengo que confesarte que me la traté de seducir pero ella dice que está enamorada de vos, habla de vos todo el tiempo. Preparate, yo sé lo que te digo: se viene una podrida grande.

–¿Cómo qué?

–No sé. Pero a mí algo me huele mal. Tiene un cafishio, ¿sabés?

–¿La pomposidad de este tipo es contagiosa o qué? No me vengas con sermones, ¿qué me puede pasar? Ningún cafishio me va a matar todavía.

El Señor Sotana regresó con tres *chopps*.

–Espero que esta cerveza sea de su agrado. ¿Usted también es contrabandista como su amigo?

Daniel lo miró a Luigi, que sonreía.

–¿Luigi le contó? Yo no quisiera que eso se divulgue mucho.

El Señor Sotana abrió unos ojos grandes, con fingida sorpresa:

–Bueno, pues verá... –se notaba que le encantaba decir "verá"–. Yo inspiro confianza. La gente sabe cómo soy yo, confía en mí. Yo no soy un simple director de orquesta, soy un artista de la comunicación.

Éste era un verdadero hallazgo.

–Me lo tendría que haber imaginado, ahora que lo pienso. Usted tiene una presencia tan, ¿cómo decirlo? tan Papal, con su cabeza calva.

–Bueno, verá, yo estuve en Europa, en la península Ibérica. Aprendí mucho de la gente. Soy un poco psicólogo y además, estoy pensando en escribir una novela.

¿De veras?

–Verá, mi familia es de origen europeo. Tengo ancestros portugueses.

Los *cariocas* parecían odiar a los portugueses, a los que consideraban como malhumorados, tristes y dispépticos.

Luigi fue más rápido que Daniel:

–Usted dijo que era un poco psicólogo.

–Por cierto, sí –respondió el Gran Hombre.

–Daniel y yo justamente estábamos debatiendo un profundo interrogante psicológico que hace tiempo me tiene preocupado. ¿Cuándo diría usted que, en el contexto del matrimonio, sería aceptable empezar a tirarse pedos en la cama? Quiero decir, si uno de los cónyuges se tirara un pedo, voluntaria y conscientemente, sin hacer el mínimo esfuerzo para irse de la cama matrimonial mientras el otro cónyuge ya estuviera bajo las sábanas, ¿lo consideraría usted el final del período romántico de la relación o, en cambio, sostendría usted que se trata del comienzo de la verdadera intimidad?

El hombre se veía azorado.

–Verá, alguna gente desprecia el pedo muy fácilmente; en cambio, yo lo considero un arte, una parte innegable de la creatividad humana. ¿Sabía, por ejemplo, que a principios de siglo el *Moulin*

Rouge de París tenía como artista estable, entre otros como Sarah Bernhardt e Yvette Guilbert, a un hombre llamado Joseph Pujol, alias *Le Pétomane?*

–No, la verdad es que no lo sabía –contestó el hombre, pretendiendo interés.

–Era un prodigio, un mago sin trucos. *Le Pétomane* podía colocarse una pequeña flauta con seis orificios en el ano y ejecutar, por ejemplo, *Le Roi Dagobert* y *Au claire de la lune.*

Dos manos frías y diminutas taparon los ojos de Daniel desde atrás. Reconoció el olor de ese pelo, su risa única, el aliento provocador y delicioso. El corazón le dio un vuelco.

–¿Quién es? –preguntó Wanda.

–Quienquiera que seas, Princesa de la Oscuridad, tenés un aroma muy atractivo: sos sabrosa, estás bien sazonada. Adoro por anticipado lo que tus olores prometen, me gustaría probar todo lo que tengas para ofrecerme, te comería.

–¡Buena poesía! –intervino el Señor Sotana, quizás tratando de recuperarse.

–Podrías comerme si quisieras –le susurró Wanda al oído–. Pero la cuestión es: ¿te alcanzará el dinero para pagarme? Soy una puta cara.

Wanda era más hermosa de lo que se acordaba. Estudió su cara mientras ella se le sentaba en las rodillas. Su piel aterciopelada parecía más oscura en la luz tenue; sus ojos, dos bolas de fuego negro; sus labios carnosos, entreabiertos; sus gestos, desafiantes y provocadores. Tenía puesta una pollera amplia y floreada de algodón liviano, como de gitana, y una remera blanca. Daniel le acarició la espalda por debajo de la remera. Se sentía embrujado por una cierta vulnerabilidad que se adivinaba por debajo de sus gestos sensuales. Entendía bien por qué los hombres estaban dispuestos a comprar sus favores. Durante una décima de segundo el recuerdo de cómo se ganaba la vida le dio escalofríos. Se acordó que en su diario, Cesare Pavese hacía referencia al disgusto de encontrar el esperma de otro hombre en el cuerpo de su amante.

Seguía llegando gente al bar y muy pocos de los que estaban ahí parecían dispuestos a irse; nunca habían visto tanta gente en ese lugar.

–Saben que yo no entiendo a esta generación joven –estaba diciendo el Señor Sotana; había vuelto a ser él mismo–. Yo soy un músico clásico pero puedo aceptar otras formas de expresión musical. En música popular, por ejemplo, soy un hombre de valses, fox-trots, boleros. Hasta puedo entender las razones por la inclinación de alguna gente por las tarantelas, los fandangos, los pasodobles y la rumba y, si se me obliga a incluir esa danza perversa en la lista, con perdón de ustedes, hasta el tango. Pero pensar seriamente que se desesperen por esa basura de la *bossa nova*, ¡me parece de un mal gusto deplorable! –y después, señalando los parlantes que había en la pared–: Escuchen eso. No lo puedo entender.

–Entonces éste es el último lugar en el que debería estar –protestó Luigi.

El Señor Sotana continuó, ignorándolo. No tenía piel; era más bien una caparazón de tortuga.

–Estos músicos se pervierten, se venden a los americanos, regalan nuestra cultura por migajas, son peores que las prostitutas.

Luigi y Daniel iban a reaccionar pero Wanda los detuvo con un gesto. El hombre parecía momentáneamente sorprendido, no entendía qué había dicho de malo.

–A lo mejor a usted le haría bien una puta –dijo Wanda. Daniel sintió cómo se le tensionaba la espalda, lista para la guerra–. Y teniendo en cuenta que es músico, me parece bastante ignorante. ¿Qué sabe de música brasileña? Por lo que escuché, no sabe un carajo. ¿Usted piensa que la *bossa nova* salió de la nada? Hay toda una tradición: Ismael, Cartola, Noel, todos esos sambistas *da Velha Guarda*, ellos crearon a Gal Costa, a Gilberto Gil, Caetano Veloso, Nara Leão, a Tom Zé.

Wanda empezó a bombardear al Señor Sotana con nombres de compositores y títulos de canciones; cantó fragmentos de viejas sambas y citó lo que tal o cual cantante había dicho en un programa de TV. Parecía estar peleando por su vida.

–Es la misma música en diferentes formas, una misma alma. Es lo que a la gente realmente le gusta. ¿Quién es usted para decirles lo que les tiene que gustar? ¿Qué? ¿También les va a decir que no pueden fumar, ni pueden hacerse la paja, o, peor todavía, que no pueden andar con putas?

A Daniel le hubiera gustado poder prohibir a los hombres andar con ciertas putas.

Al final de la explosión, el Señor Sotana parecía abatido. Se disculpó torpemente y desapareció tal como había llegado, desvaneciéndose en el humo espeso del lugar.

En cuanto se fue el Papa, Luigi también se puso de pie y se alejó de la mesa. Abrazado a Wanda, Daniel sintió cómo lentamente se relajaba. Ella sacó un porro de entre sus pechos: largo, delgado, perfectamente formado. Le pidió fuego a un tipo de la mesa de al lado; le dio una pitada y se lo ofreció. El joven se lo devolvió con una sonrisa y se lo pasó a Daniel; estaba a punto a fumar pero Wanda lo detuvo:

–¡Esperá! Dejame ayudarte.

Wanda le dio una pitada profunda al porro y después lo besó en la boca. Él dejó que el humo le invadiera los pulmones, sintió cómo le penetraba en todo el cuerpo, cómo le llegaba al cerebro.

–¿Qué perfume tenés puesto? Me está volviendo loco. Tiene un aroma muy lindo, a peras, manzanas y rosas.

–Es almizcle. Se lo compré a una bahiana en un mercado callejero; me informó que una diosa Yoruba lo usa para atraer a su pareja. Hasta los animales lo usan: patos, lagartos, venados, tortugas. Yo quería atraer especialmente a cierto macho de mi propia especie. La bahiana me dijo que una vez que él oliera mi fragancia, no iba a poder perseguir a ninguna otra hembra; que nunca me iba a dejar. Me costó caro pero no me importó. Había ganado plata en el *jogo do bicho.*

–¿Y eso qué es?

–Una lotería ilegal. A los chicos como vos no se les permite jugar. Solamente pueden hacerlo los machos de verdad.

Tontamente, Daniel se sintió herido:

–¿A tus clientes los obligás a usar forro?

Ahora salía a relucir la verdad: el idiota era incapaz de controlar su celos. Wanda se apartó de él con un gesto brusco; se le endurecieron las facciones y se le borró la sonrisa; sus ojos se convirtieron en dos dagas amenazantes, listas para clavarse en su corazón. Él pensó que, a lo mejor, Wanda era demasiado para él; en parte, se habría sentido aliviado si en ese momento ella se hubiese ido, dejándolo plantado. Pero logró reaccionar a tiempo. Recordó: *Navegar é preciso/Viver não é preciso*. Recuperó el coraje.

Wanda le escudriñaba la cara:

–Solamente cogí con un cliente dos veces, y eso pasó porque yo lo quise. Me había peleado con mi amante y quería vengarme. Y sí, los obligué a usar forro. De todos modos, eso fue hace mucho tiempo. Los hombres no vienen a mí en busca de sexo. Quieren hablar, sentirse comprendidos, llorar en mi hombro, volver a ser bebés. La mayoría de las veces, ni siquiera consiguen que se les pare y, cuando lo logran, apenas si pueden hacerse una paja.

Daniel recordó su propia experiencia con una prostituta y pensó en la de Luigi: ¿de veras la habría pasado tan bien?

Wanda lo miraba fijo. Después, ella cambió el tono:

–¡*Calamidade*! ¿Sabés lo que decía mi abuela? "No te suenes la nariz, que se te va a piantar el cerebro".

Se rió y la besó.

–¿Sabés lo que realmente me gustaría lograr en la vida? Morir de amor. Creo que el amor es todo, es lo único que tiene sentido en este mundo. Quiero morir por amor.

Wanda, la generosa.

–A veces me imagino que tengo de amante a un soldado. Que se va lejos a pelear en una guerra. Después de muchos meses, recibo la noticia de que murió como un héroe en la batalla: él solo, contra muchos enemigos. Me pongo muy triste, lloro, me deshago en gemidos y lamentos de dolor. Me imagino viviendo en un cuarto circular, con la cama justo en el medio, frente a las ventanas. Me acuesto y me dejo morir, de a poco, como un perro fiel olvidado por su dueño. Muero de *saudade*.

Wanda. Por favor.

–¿Sabés una cosa? –preguntó de golpe Daniel–. Las *blattellae germanicae* existen desde hace 300 millones de años.

–¿Qué son? –preguntó Wanda, incrédula.

–Cucarachas. ¿Y sabés por qué sobrevivieron tantos años? Una razón es muy obvia: comen cualquier mierda que encuentran. Pero la razón principal es que cogen mucho, siempre están dispuestas. Y lo hacen atrayéndose por el olor. Cada vez que tienen ganas, tanto

las hembras como los machos producen una fragancia atractiva para
tentar a un miembro del sexo opuesto.

–¿De dónde sacaste todo eso?

–El macho produce una substancia que a ella le encanta comer.
En cuanto la hembra empieza a mordisquearla, el macho tiene múltiples erecciones, ¡múltiples erecciones!, ¿me oís? No una ni dos,
tiene muchas pijas pero solamente necesita meter una en el cuerpo
de la hembra. Y una vez que la metió, los dos bichos se quedan así
horas y horas, cogiendo hasta quedar boludos.

Wanda lo escuchaba embobada.

–Nunca pensé que me iba a calentar con una historia sobre cucarachas, esperame –Wanda se levantó y desapareció.

Daniel cerró los ojos y se quedó escuchando la música. Por encima del ruido de la multitud, era la voz de una mujer. La canción le
recordaba la liberación política y emocional de la que él y sus amigos tanto habían hablado (y con la que habían soñado tan vívida-
mente) durante esas largas noches en Buenos Aires. Raúl González
Tuñón le había dicho una vez: "La única revolución posible es una
revolución poética." En aquel momento, escuchando tangos viejos en
el Bar Unión, parecía tener sentido. Ahora no estaba tan seguro de
qué significaba "poética", ni tampoco "revolución". ¡Todo estaba tan
confuso en su mente! Seguían circulando rumores en Río acerca del
recrudecimiento de la represión. La única certidumbre era que ninguna revolución iba a ser posible con el ejército en el poder. Quizás
la única liberación era espiritual, había que olvidarse de las masas,
alejarse de las muchedumbres. ¿El Confucianismo, por ejemplo, le
serviría para algo a la clase trabajadora? ¿Y al *lumpenproletariat*?
"¿Alguien puede ayudar al lumpenproletariado de alguna manera?",
se escuchó preguntar en voz alta. Se rió y abrió los ojos. Marx nunca
había sentido mucha simpatía por los personajes marginales que no
contribuían a la causa de la revolución de los trabajadores. Y sin
embargo, pensó Daniel, yo siento una gran afinidad con los marginales en general. La producción no le importaba tanto; después de
todo, los poetas no producían nada de nada, formaban un *lumpenproletariat* ilustrado. La marihuana le estaba haciendo pensar estu-
pideces. ¿Confucio no proponía el celibato? Nadie en su sano juicio
lo aceptaría. ¿Cómo podía una teoría de liberación darse el lujo de

excluir el sexo? El Tantra Yoga quizás era el camino indicado: en la búsqueda de una unión mística con Dios, los tántricos creen que toda mujer encarna las fuerzas secretas que controlan el universo. Cada vez que uno hace el amor con una mujer, se está casando con Dios, el sexo es la única práctica religiosa, el verdadero propósito del ser. Cuanto más sexo, mayor el regocijo divino. Si existe una verdad, vive en el cuerpo y se logra cogiendo. ¿Qué tal un *Partido Tántrico por un Socialismo Erótico de América Latina*? Tenía que escribirle a Damián sobre esa posibilidad.

> *... meu coração não se cansa*
> *de ter esperança*
> *de um dia fazer*
> *todo o que quer...*

Eso cantaba una hermosa voz por los altoparlantes. Le hubiera gustado que su lengua materna fuera el portugués brasileño: una lengua con estilo, cadencia y swing; tenía un ritmo que, por sí solo, creaba una especie de reminiscencia poética. Plena de humor e ironía, hacía cantar al cuerpo y obligaba al alma a bailar. ¡A lo mejor la había inventado algún yogui tántrico! En su visita a Congonhas, había visto a un yanqui posando como un fakir, escuálido y con un turbante, acostado sobre una cama de clavos en una feria dominical. Rodeado de tanta gente hambrienta, no parecía fuera de lugar; al contrario, encajaba perfectamente entre las naranjas, los ananás y los pollos vivos, tirado en su incómoda cama a la espera de esas monedas que nunca se materializarían, ignorado por la multitud. Se había quedado un rato mirando al falso yogui, que parecía un fiambre ahí acostado bajo un gran paraguas negro que lo protegía del sol agobiante de la mañana. En determinado momento, entró en escena otro personaje: rubio, rollizo y bronceado, fumando un cigarrillo. El yogui se levantó de lo más campante y se puso a charlar con su amigo, que ató la cama de clavos con un cinturón de cuero y se la cargó al hombro. Después se fueron los dos caminando, riéndose de lo más alegres y haciendo chistes en su gangosa lengua yanqui.

¿Adónde se habría ido Wanda?

Había una gran diferencia, siguió riéndose para sus adentros, entre un yogui tendido sobre unos clavos y una mujer en una cama.

A lo mejor, era una obsesión masculina esa fascinación por la imagen de un cuerpo de mujer, dormido, abandonado, tranquilo, se-
xualmente provocador. Siempre lo excitaba ver a su pareja desnuda,
apenas cubierta por las sábanas, con el pelo enmarañado; se preguntó si una mujer sentiría lo mismo al mirar a un hombre. La imagen de una mujer dormida era una delicia erótica. Pero, ¿por qué?
¿Era el placer de la ilusión de que uno podría tener un dominio total
sobre ella? Pensó que se podía abrir un burdel en el que las mujeres
durmieran y los hombres pagaran por el derecho a mirar. Se lo iba a
sugerir a Wanda. ¿No había leído algo sobre eso en alguna parte? A
lo mejor ya existía. Ahora alguien cantaba *Antonico*. "Es la misma
alma", había dicho Wanda. Tenía razón: era un ejemplo perfecto de
una cantante joven rindiendo homenaje a un viejo compositor de
otra generación. Esa música hermosa venía de los esclavos negros
africanos. Los esclavos en la Argentina también habían sido perse-
guidos por sus tambores y sus prácticas religiosas. En Buenos Aires,
sus bailes se llamaban *tambo*, y el más importante era el *candombe*.
Al igual que las escuelas de samba de Río, Buenos Aires también
había tenido sus grupos de candombe a principios de siglo: *Conga,
Angola, Benguela, Lubolos, Mina, Cabunda*. "*A-eeé! A-eeé!/ Calunga
mishinga/ Mishinga-eeé!*", cantaban. Eran grupos secretos y satáni-
cos, sensuales y desafiantes, todos creados en el Barrio del Tambor.
  Vio a Wanda, que se abría paso despacio entre la multitud.
Pensó –en una asociación ridícula– que se parecía a Kim Novak en
Picnic, con su vestido rosado y su cabello rubio, cruzando el puente
para encontrarse con William Holden. Parecía que le llevaba años a
Wanda abrirse paso para llegar a su mesa. Ahora, ya a su lado, seguía meciéndose, bailando, murmurando la letra de *Antonico*; abría
los labios provocativamente, le mostraba la lengua, cerraba los ojos.
Por momentos, su pelo rizado y largo le tapaba la cara, ella se lo re-
tiraba con un movimiento de cabeza. Quería abrazarla pero no se
movió, se quedó atado a su silla, mirándola, deseándola, haciéndose
desear. Como haría un verdadero cafishio, imaginó. O Marlon Bran-
do. Después, ella se le sentó en las piernas como si montara a caballo, levantando su pollera de gitana para que le resultara más fácil la
cabalgata. No sólo sintió el aroma del almizcle de la diosa Yoruba
sino que esta vez también pudo percibir esa mezcla de aromas dul-

ces y rancios que hacían volver locos a los hombres. Se abrazaron y se besaron. Le acarició la espalda y la agarró fuerte de atrás, presintiendo que iba a ser difícil parar. Contra todo juicio racional, deslizó una de sus manos por debajo de la tela liviana de la pollera de Wanda y se cubrió con ella la pelvis. No tenía bombacha, ¿se la había ido a sacar? Se desprendió el botón de sus jeans y forcejeó para bajar el cierre. Wanda se movió sobre él con tanta habilidad y elegancia que pudo penetrarla casi instantáneamente sin esfuerzo aparente. Daniel se mantuvo inmóvil, envuelto en sus brazos, su cabeza apoyada contra esos pechos acogedores. Wanda no dejaba de moverse con suavidad, apenas lo suficiente, acompañando la música. Se sentía suspendido por ella en el aire, desafiando la fuerza de gravedad, todo el placer de este mundo concentrado por un instante entre esos dos cuerpos.

Después de tanta espera, todo pasó demasiado rápido. Ella se rió, lo besó una vez más y se aferró a su cabeza, diciendo:

–Me debés una.

–Azuquítar morena.

Cuando abrió los ojos, vio por encima de los hombros de Wanda, al otro lado del amplio salón, a un grupo de policías allanando el local.

Parte II

1

Nunca se supo quién tomó la decisión, pero Wanda, Luigi y Daniel se mudaron a la casa de Olinda.

La casa colonial de fachada lisa que Olinda alquilaba desde hacía años tenía espacio suficiente para todos. La puerta principal daba directamente a un living enorme con pisos de madera; las paredes, pintadas a la cal, estaba decoradas en su parte inferior con mayólicas portuguesas amarillas y azules. A la derecha de la entrada, había un viejo sofá de cuero y sillas diversas de caña; almohadones forrados en telas de la India estaban distribuidos estratégicamente por el suelo, alrededor de una mesa ratona de madera pintada. Al otro lado del salón, una mesita redonda, cargada de pilas desordenadas de libros, un teléfono y viejas guías telefónicas maltrechas, ocupaba el rincón. Junto a la mesita había un estante con un tocadiscos; había discos por todos lados. Más atrás, cerca de la puerta de la cocina, había una mesa de comedor para doce personas. Al final del living, se accedía por un arco a las escaleras que llevaban al piso de arriba y a un pasillo con salida al patio. El baño con problemas estaba debajo de las escaleras.

Olinda y Wanda pronto descubrieron que compartían su interés por *umbanda*, esa magia blanca tan popular en Río, mezcla de *candomblé* y espiritualismo. Pasaban horas comparando sus experiencias con diferentes *pais de santo*. Wanda le contó a Olinda acerca de las innumerables jaquecas que le había curado su *pai*. Olinda, a su vez, habló de curas de fiebre reumática, úlceras pépticas, toda clase de envenenamientos e incluso un caso de sífilis. Wanda escuchaba con dedicada atención los relatos de Olinda, llena de admiración por los poderes innegables de un hombre tan fantástico.

Olinda había mandado a su hijo a quedarse con sus padres, que seguían viviendo en Bom Jesus de Lapa.

–Quiero que David aprenda todo lo que hay que saber acerca del San Francisco –explicó–. Ese río fue una de las mayores influencias en mi vida; quizás, inspirado por el río, mi hijo pueda llegar a ser un gran hombre, como Jorge Amado, o como Einstein.

Muy pronto, Olinda y Luigi se engancharon en un romance intenso e inevitable. Una noche, se tomaron de la mano durante la cena. Parecía tan natural. A partir de ese momento, durmieron siempre juntos.

Luigi estaba trabajando en una novela de ciencia ficción en la que contaba en forma alegórica la historia de su familia. Se pasaba largas horas sentado frente a la máquina de escribir, una vieja Royal en su estado original que Olinda le había conseguido prestada de un vecino. Estaba impecable: tenía pequeños paneles de vidrio a los lados y una palanca desproporcionadamente grande. Todos los días, a la mañana temprano, antes de que Luigi empezara su trabajo, Olinda limpiaba la palanca, los vidrios y las teclas con una gamuza suave y brillametales. Después, se iban a dar un paseo. De regreso, mientras Luigi golpeteaba las teclas tintineantes, Olinda trabajaba en sus pinturas. Las imágenes del *sertão* habían sido reemplazadas por temas más abiertamente políticos: sindicalistas asesinados por soldados, manifestaciones estudiantiles, interrogatorios de la policía.

Después del golpe militar, la represión se estaba haciendo sentir en todos lados. Wanda escuchaba en silencio mientras el resto del grupo discutía acaloradamente los levantamientos campesinos en Perú; las reglamentaciones del Papa sobre el control de la natalidad; el contraste entre los curas católicos tercermundistas de otros países y la iglesia reaccionaria del Brasil; la crónica estupidez de las políticas oportunistas del Partido Comunista. Daniel sentía gran pasión por la historia del movimiento anarquista catalán durante la República, y terminaba todas las discusiones con la misma frase lapidaria:

–Los partidos políticos son todos una mierda.

Un día, Wanda apareció con un póster del Che Guevara y lo colgó en el dormitorio frente a la cama.

–No se muy bien quién es pero me encanta su barba... Ah, y otra cosa: abandoné mi trabajo –anunció.

Nunca más se habló del tema.

Daniel quería escribir una serie de poemas sobre la idea de "una mujer dormida" pero se sentía trabado. En los raros momentos en que la contemplaba a Wanda dormir se sentía inspirado, pero sólo ocasionalmente esas imágenes se transformaban en poemas. Pasaba gran parte del tiempo leyendo y releyendo *20 Poemas de amor y una canción desesperada:*

> *Me gustas cuando callas*
> *porque estás como ausente...*

El mismo día en que se mudaron, el sistema de plomería dejó de hacer locuras. Olinda estaba convencida de que se debía a la presencia de Wanda. Ella, por su parte, decía que éste era su primer hogar; Wanda nunca se había sentido tan a gusto, tan cómoda. Se pasaban horas juntas, charlando, riéndose; se peinaban una a la otra y se intercambiaban ropa como dos adolescentes.

Olinda quiso pintar la casa. Necesitaba un corte con el pasado, decía. Las dos mujeres salieron a comprar pintura: dos distintos tonos de amarillos, un azul cielo, un naranja intenso. También trajeron pinceles, lijas y enduido para tapar las rajaduras de las paredes. En dos fines de semana febriles, entre los cuatro transformaron el lugar por completo: no sólo pintaron las paredes sino que también limpiaron los roperos, acomodaron los muebles y tiraron montones de cachivaches que Olinda había acumulado año tras año.

La familia se agrandó un día en el que la suegra de Olinda trajo un pájaro a la casa: un papagayo rojo que había viajado posado en el hombro derecho de la mujer todo el camino desde Visconde de Itabapoana, un lugar en las montañas, al oeste de Río; la señora era la dueña del primer restaurante vegetariano del Brasil.

–El papagayo, bueno, en realidad nunca supimos si es macho o hembra, lo que sea, se volvió loco o loca desde que murió mi marido. Ataca a todos mis clientes; está muy celoso del chivo y y se la pasa aterrorizando al pobre animal; caga en las cacerolas de la cocina, sobre todo en la de arroz integral. O me lo, o me *la* saco de encima o un buen día lo voy a matar o *la* voy a matar, quién sabe.

Olinda no quería dar albergue al nuevo huésped pero no pudo decir que no. Le tenía mucho cariño a su suegra y la respetaba demasiado para rechazarle su demanda. Había pasado innumerables momentos acogedores en su chalet, una casa típica de la región. Era una ironía que esos dos sobrevivientes del Holocausto, que persistieron en hablar en idish gran parte de su vida y jamás renegaron de su judaísmo (a diferencia de su hijo), fueran a terminar sus días en una región montañosa poblada de exilados suizos y alemanes.

Como nunca le habían descubierto el sexo, el pobre papagayo ni siquiera tenía nombre. A Wanda le pareció una crueldad:

–Todo el mundo necesita un nombre. Si no, ¿cómo hace Dios para reconocernos cuando nos morimos?

Así que allá fueron todos con el pájaro al veterinario, que les explicó que los dos sexos de esa especie tenían el plumaje del mismo color, por lo que resultaba difícil distinguirlos. La parte de arriba era verde; la cola, azul oscuro; la parte superior y los lados de la cabeza eran marrones con franjas blanquecinas y la frente, un blanco sucio. Su característica más llamativa era el cogote, que tenía una cresta de plumas largas de un rojo oscuro con un borde azulado que se extendían hasta abajo.

–Se van a enterar por adelantado cuando esté por cambiar el tiempo –les dijo el veterinario–. Tienen un graznido largo y continuo: *iá-iá, iá-iá*. Los va a volver locos.

Finalmente, mientras extendía la factura por sus honorarios profesionales, declaró solemnemente:

–Es macho.

Olinda lo bautizó Joaquim María, como el famoso escritor brasileño Machado de Assis. Luigi y Daniel estuvieron en desacuerdo, ya que el nombre perpetuaba la ambigüedad de su identidad sexual, pero Olinda se mantuvo inflexible: se iba a llamar Joaquim María y punto. Olinda y Wanda estaban muy contentas de que el pájaro fuera macho; la ambigüedad sexual no era motivo de mayor preocupación para ellas.

–Nos llevamos mejor con los hombres –bromeó Wanda. Pero el inocente pájaro se enamoró de Luigi, lo seguía a todas partes; se posaba en su hombro y, si alguien se acercaba, alzaba la cresta. Joaquim María pasaba gran parte de su tiempo alisando el cabello de Luigi, su barba y, sobre todo, picoteándole los dientes. Mientras Luigi escribía, tecleando febrilmente en la máquina de escribir, el pájaro se quedaba sobre el escritorio observándolo, emitiendo sonidos de regocijo, como si fuera una conversación. Si alguien se acercaba a Luigi, chillaba con todas sus fuerzas.

La devoción apasionada del papagayo por Luigi provocó intensas peleas con Olinda. Era muy celosa y, en venganza, empezó a llamar al pájaro solamente "María". Luigi protestaba con vehemencia pero sin resultado:

–Este pájaro no es ningún maricón.

A partir de ese momento, Luigi se negó a usar el "María"; para él, se llamaba solamente "Joaquim". Pero con el tiempo, Wanda lo rebautizó con un nombre mixto: tomó el "Joaq" y la terminación "aría" y lo transformó en Joacaría, nombre que fue aceptado por todos.

Un día, dormido, se cayó del borde de la ventana al escritorio; inexplicablemente, se quebró una de las patas contra la palanca de la máquina de escribir. Fue una tragedia en una casa en la que hasta ese momento reinaba la paz. La herida fue tan grave que tuvieron que amputarle la pata y reemplazarla por una de palo. Joacaría se recuperó rápido de su pérdida y pronto estaba ya corriendo por el pasillo de la casa. Para evitar las protestas de Olinda en sus momentos de siesta, Luigi le puso una tapa de goma en la punta de la pata de palo para silenciar el golpeteo de la madera en los mosaicos.

Si bien no era común que esa clase de papagayo hablara, Joacaría había aprendido una frase en idish. Se la había enseñado el suegro de Olinda. Todo el mundo se enteraba de que había salido el sol al amanecer porque el papagayo corría por la casa gritando: *"Kish me in tujes! Kish me in tujes!"* –¡Besame el culo!

En Santa Teresa, uno de los barrios más antiguos de Río, era común tener cortes de luz. Dos o tres veces por semana, las calles estrechas y bordeadas de árboles de ese barrio hermoso quedaban a oscuras. Y por supuesto, siempre pasaba cuando más se necesitaba la electricidad. En esos momentos, velas y linternas brillaban a través de las ventanas abiertas, creando una atmósfera mágica, como de cuento de hadas. Sin televisores ni radios que aturdieran en la noche, se alcanzaban a oír los sonidos de la selva.

Y los viernes y sábados, los tambores.

Sus suegros le habían hecho a Olinda un regalo único. Era un candelabro de Hanukkah de plata, quizás del siglo dieciocho. Su suegro lo había enterrado en el bosque, cerca de su pueblo, antes de que se lo llevaran prisionero al campo de concentración. Cuando lo liberaron, insistió en volver a ese lugar para recuperarlo. Era su única posesión cuando desembarcó en el Brasil. En cuanto llegó a la nueva tierra prometida, consiguió trabajo de inmediato y nunca tuvo que venderlo, por lo que siempre estuvo agradecido a su Dios. Después, fue Olinda la que lo tuvo guardado en un ropero durante años, envuelto en papel de seda y un manto de lana. Ahora se atrevía a sacarlo y usarlo en los días en que había cortes de luz sólo porque había dos hombres en la casa, como si quisiera creer que esa presencia reconfortante eliminaría por arte de magia toda posibilidad de robo. El valor de esa pieza histórica era incalculable, pensaba Olinda con razón.

Había llegado al Consulado una caja llena de libros para Daniel. Algunos eran los que le había dejado a Damián, quien había aceptado esconderlos después de que la presentación de su libro terminara en tiroteo; el resto, venían de la casa de su madre. En esas noches oscuras, Luigi y Daniel se turnaban para recitar sus poemas preferidos a las dos mujeres, quienes los escuchaban con atención en la penumbra de las velas. Por lo general, se quedaban en silencio después de cada poema, tomando vino barato de Río Grande do Sul. Por fin, uno de ellos rompía el silencio con un comentario, una crítica o alguna observación que abría la conversación; a veces, raramente, la cosa terminaba en confrontaciones intensas pero siempre llenas de humor.

Igual que en sus conversaciones sobre política, al principio Wanda no participaba mucho; con el tiempo, fue ganando confianza. Tenía sus preferencias: la versión en portugués de las letras de Georges Brassens (en una edición pirata fotocopiada que un artista francés le había prestado a Luigi) y unos pocos poetas jóvenes rusos que leían en castellano bajo la luz tenue, sobre todo, Yevtuchenko. Ella les pedía repetidamente que leyeran *Babii Yar:*

No quedan monumentos en Babii Yar
Soy
todos los ancianos
asesinados aquí.
Soy
todos los niños
asesinados aquí.
¡Nada en mí
olvidará jamás!

Se pusieron de acuerdo en que los lunes y martes iban a ser días de descanso, nadie trabajaba entonces. Los lunes se turnaban, por lo general de a dos, para hacer una compra grande para la semana; los que se quedaban en la casa limpiaban. Cuando le tocaba el turno, Wanda compraba toda clase de hierbas, especias y flores y les enseñaba a los demás la simple magia de las plantas que había aprendido de su padre.

La vainilla, que servía para descongestionar la nariz y la garganta, era buena para los catarros; su padre obligaba a su familia a sentarse con los pies en un baño de vainilla cada vez que tenían un resfrío. El vino, hecho a partir de ciertas flores y frutos silvestres que sólo Wanda era capaz de reconocer en los mercados al aire libre, era otra panacea para los resfríos. Para las lastimaduras, recomendaba mascar el tronco de la malva y aplicar una mezcla de la pulpa y saliva en la herida. Cuando uno sentía dolor por un amor no correspondido, el ajenjo era el principal ingrediente pero debía usarse con moderación: Wanda tenía amigos que habían cometido excesos, provocándoles a sus amantes alucinaciones que, en algunos casos, habían terminado en locura. Incluso conocía a una persona que había muerto por tomar ajenjo. Cuando de revivir la pasión perdida se trataba, la verbena se podía usar como afrodisíaco. En ese caso, la situación también podía mejorarse por medio de una dieta que incluyera pimientos rojos y grandes cantidades de canela, clavo de olor y cilantro. Y si la falta de deseo se acompañaba de infertilidad, pocas cosas daban tanto resultado como la menta, que también era buena para los dolores de cabeza y la indigestión. Algunos curanderos utilizaban mejorana para llegar al alma de los enfermos; Wanda había oído decir que, si se la tomaba en las dosis adecuadas, se veía todo azul. Para protegerse de los malos espíritus, la mejor medida preventiva era plantar albahaca alrededor de la casa, y esa misma hierba se podía usar como antiséptico. Para paralizar a un enemigo, la clave era la belladona. Y para las brujas que necesitaban volar por el cielo oscuro, la mejor planta para hacer caldo era el anapelo. El eneldo era bueno para el hígado y el ajonjolí estaba recomendado para tratar la demencia.

Daniel la escuchaba fascinado, atraído por su pasado, sintiéndose curioso por su extraña familia, por su religión y ese conocimiento sobre plantas transmitidos de generación en generación. Luigi tenía una actitud cínica sobre las propiedades medicinales, cosa que hacía enojar a Olinda. Wanda simplemente lo ignoraba y nunca se ofendía.

–No podés aguantar que alguien sepa algo que vos no sabés –se quejaba Olinda.

–Quizás, pero no creo que ésa sea la razón. Todo este asunto existe solamente en tu cabeza. Si uno no cree, no funciona –argumentaba Luigi–. Es un hecho: sólo funciona en determinadas culturas, para determinada gente, no es algo universal. ¿El ajonjolí para curar la locura? ¡Pero déjenme de joder, ché!

–Sos un bruto, un ignorante, un verdadero cuadrúpedo.

Los dos encontraban variadas razones para pelear, pero sus peleas siempre terminaban en el sueño dulce de la reconciliación. Luigi se ponía en cuatro patas como un animal y gemía:

–Soy un cuadrúpedo, soy un cuadrúpedo –Olinda simulaba tirarlo de un lazo imaginario y lo llevaba a distintos rincones del living sermoneándolo y advirtiéndole que se comportara como mascota bien educada. A Wanda le encantaba el juego y alentaba a Olinda al grito de "¡Bravo, bravo!".

La vida era perfecta.

No llegaba a entender cómo la mayoría de la gente de este mundo podía sobrevivir sin literatura. Inmediatamente rechazó ese pensamiento. Lo hizo sentir un snob, un elitista. Pero la poesía y el arte formaban parte esencial de su propia vida, tanto como la de sus amigos; prescindir de ellos era impensable; la poesía parecía ser lo que los mantenía vivos. En el fondo de su corazón, tenía que reconocer (con dolor pero sin lamentarlo) que no era un gran poeta, que quizás nunca llegaría a serlo. Y sin embargo, para seguir viviendo y, por cierto, para seguir escribiendo, necesitaba creer que era capaz de producir algo verdaderamente único, genial. A veces, deseaba abandonar la literatura de una vez por todas y cambiarla por algo totalmente diferente. Quizás terminaría vendiendo corbatas de seda en los mercados de San Pablo, manejar un taxi en Buenos Aires, abrir un carrito en la costanera y vender sándwiches de chorizo. Otros poetas lo habían hecho.

Luigi interrumpió sus pensamientos:

–¿Cómo es eso de que dejaste de leer los diarios? ¿Estás deprimido? –le preguntó. Olinda y Wanda habían salido; ellos estaban disfrutando de un desayuno prolongado y perezoso; Daniel, estudiando la solapa de un disco de John Coltrane; Luigi, leyendo el *Jornal do Brasil*.

–A lo mejor es cierto que me deprimen demasiado, no sé hasta qué punto vale la pena estar al tanto de lo que pasa. ¿Vos conociste a Fabián Bigio en Buenos Aires? Durante un año, guardó un ejemplar de cada día de *La Prensa* sin leer. Después, los empezó a leer un año mas tarde. ¡La misma fecha pero con un año de atraso! Según él, era todo la misma mierda.

–Yo conocía a un tipo que solamente leía los avisos clasificados porque, según él, era la única manera de saber realmente qué estaba pasando. Decía que las noticias le dan a la gente un falso sentido de la realidad. Pero no pudo escapar a su destino: terminó en un loquero, donde parte del tratamiento consistía en leer los diarios en grupo todas las mañanas.

Daniel se levantó, se dirigió al toscadiscos y puso a Coltrane.

–Es un poco temprano para algo tan pesado, ¿no te parece? –preguntó Luigi.

Lo ignoró. La leyenda empezó a soplar: *Summertime;* después, *My Favourite Things;* más tarde, *Every time we say goodbye.*

–Me dijeron que abandonó el saxo por la religión.

–El hombre tuvo una crisis espiritual, un despertar en el que redescubrió a Dios. Su música se volvió gloriosamente salvaje; después de todo, lo hizo más feliz y más productivo. La verdad es que no me molestaría si me pasara algo así a mí, fuera el opio, la religión, la locura, el amor o la marihuana. Mientras que te sirva para transformar tu arte, ¿vos no tomarías cualquier cosa?

–Para mí, el opio sería preferible a la religión –dijo Luigi, pero ahí se detuvo. La cara se le puso blanca como la leche; se quedó pegado a las páginas del *Jornal*–. ¡Hijos de puta! –susurró.

Daniel se acercó para leer el diario por encima del hombro de Luigi. Le llamó la atención una foto: reconoció a Eugenio, que sonreía estúpidamente en una típica instantánea de pasaporte de años atrás. Los titulares anunciaban: "Decapitado por ladrones". A Daniel le corrió un escalofrío por la espalda; sintió sus piernas aflojarse pero logró llegar hasta la pileta de la cocina, donde vomitó. Abrió la canilla y dejó correr el agua.

Luigi lo llamó desde el living; se había quedado rígido en su silla. Daniel apagó la música mientras Luigi leía el artículo en voz alta: un joven argentino, Eugenio Paredes, que trabajaba de carpintero en la isla de Paquetá, había sido asesinado por una banda de ladrones de Río. La policía sospechaba de tres jóvenes que habían sido vistos en el ferry en uno de sus viajes de regreso. Se pedía al público que colaborara aportando cualquier información que sirviera para identificarlos. Probablemente, los delincuentes sólo habían podido robar un poco de dinero. Las autoridades especulaban que, por frustración, también habían matado a un chivo y dos gallinas que el señor Paredes tenía en su patio. Los habían degollado. La policía no podía explicar por qué, además de matar a los animales, los habían abierto y sacado el corazón. Cada corazón había sido después enterrado en el terreno de la humilde casa del señor Paredes. Un largo palo de madera labrada, manchado con la sangre de los animales, se había utilizado para formar una cruz clavada en el suelo. El machete usado por los asesinos había sido encontrado junto al cadáver sin cabeza de Eugenio.

–Mirá adónde fue a parar su Totalidad Total.

–¿No dijiste que andaba metido en la magia negra?

–¿Habrá sido un asesinato ritual? Pobre Eugenio, estaba tratando de aprender Yoruba para comunicarse con los muertos.

–Ya no va a ser necesario.

Después del shock inicial, Daniel se sentía un tanto distante y anestesiado.

–Quemó todos esos manuscritos, miles y miles de palabras perdidas en el humo. No dejó nada, ¡nada!

Jamás se había casado ni había tenido hijos. A pesar de haber escrito tanto, no había publicado ninguna obra. Daniel ni siquiera había visto las esculturas en madera que Eugenio decía haber hecho. Lo único que iba a quedar de él para la posteridad iba a ser una foto de pasaporte publicada en un matutino carioca. Y un agujero en algún cementerio municipal olvidado.

–¿Lo habrán hecho sufrir? A lo mejor, encima de todo, lo torturaron al pobre diablo.

–¿Yo no tendría que ir a la policía? Están pidiendo información.

–Específicamente, piden información sobre esos tres tipos. ¿Qué les vas a decir?

–En estos casos, cualquier detalle puede terminar siendo un dato importante. A lo mejor, yo les puedo dar información que les resulte útil.

Iba a ir a la comisaría local a declarar. Les iba a contar sobre la visita y las cosas extrañas que había visto y oído: los tratos de Eugenio con la *macumba*, su obsesión con *Exú*, su iniciación, la sociedad secreta de *candomblé*.

–Lo que me intriga es que hayan matado a Desideratum, Fruto Prohibido y Cortesana. ¿Qué tenían que ver esas pobres bestias? –preguntó Luigi.

–¿A quién mierda le importan un chivo patético y dos gallinas muertas de hambre? Parece que te importaran más los animales que Eugenio.

Al cabo de una pausa, Luigi dijo con calma:

–Los animales son más confiables, nunca te traicionan, jamás te botonearían, no te venden ni te decepcionan.

–Ya sé –su rabia no estaba dirigida a Luigi.

En ese momento, apareció Joacaría rengueando por el corredor, repitiendo su vocabulario limitado: "*Kish me in tujes! Kish me in tujes!*" Primero saltó sobre el sofá, y de ahí rápidamente al hombro de Luigi, quien le puso la cabeza para que le peinara con el pico su cabello enrulado.

–Mirá esto –dijo Luigi, enternecido.

–Estoy mirando, estoy mirando.

–¿Sabías que estos papagayos son estrictamente monógamos? Llegan a vivir setenta años sin cambiar nunca de querencia. Y cuando se los domestica, tratan a sus dueños como si fueran su pareja. Cuando me baño, Joacaría se baña conmigo: si canto, él canta; si grito, él alza la voz. Me defiende de todos los enemigos.

–¿Cómo podés hablar así de un pájaro lleno de pulgas? Acaban de descuartizar a alguien que conocíamos.

–No tiene pulgas. Además, lo que importa es la vida, no la muerte –y después, recitó–: "*La muerte no sirve para nada*" ¿Te acordás de *Zorba, el griego*?

La película les había renovado una visión romántica de Grecia que se habían formado tiempo atrás, leyendo *El Coloso de Maroussi*, de Henry Miller.

–Cuando muere la vieja amante de Zorba, él no llora; recoge la jaula del pájaro que había pertenecido a la mujer y se lo lleva; al llegar a la calle llena de sol, cubre la jaula para protegerlo. Elige la vida, en lugar de lamentarse por la muerte.

Daniel seguía tratando de desentrañar cómo habían pasado del asesinato de Eugenio a Anthony Quinn y su pájaro griego cuando oyeron entrar a Olinda y Wanda. Habían llegado con sus compras y se encontraron con la cocina impregnada con el olor a vómito.

–¿Qué pasó acá? –exclamó Olinda, todavía con las bolsas del supermercado en la mano.

Daniel empujó suavemente a las mujeres al patio trasero, corrió a la cocina y se apresuró a limpiar la pileta con bastante detergente y desinfectante. Luigi se le unió a la tarea: prendieron un incienso de jazmín, prepararon una jarra de café y pusieron pan a tostar, una combinación de aromas que, según esperaban, lograría eliminar los efluvios del vómito.

–Este lugar parece condenado a los malos olores –dijo Luigi.

–Lo siento –Daniel estaba agradecido por su ayuda.

Invitaron a Olinda y Wanda a que volvieran. Se sentaron todos a la mesa y les contaron lo de Eugenio. Con la poca información que tenían, trataron de hilvanar la historia de alguna manera, de echar luz sobre el horrible asesinato aparentemente sin sentido.

–A mí me parece que tendrías que ir a la policía –le dijo Olinda– ¡Tenés que ir ya mismo! Yo te acompaño.

–No, no. Yo lo acompaño –intervino Wanda.

Daniel se echó su bolsita al hombro y se aseguró de tener su documento y algo de dinero.

–Me parece bien que vengas conmigo, pero no quiero que entrés. Esperame por ahí cerca.

–Está bien –aceptó Wanda.

En realidad, no había razón alguna para protegerla, ella sabía cuidarse sola. Era irracional, se había quedado preocupado después de aquella redada en el Bar Lua. De hecho, no la habían pasado tan mal: para cuando los policías, armados hasta los dientes, llegaron al final del salón, Wanda y Daniel habían logrado levantarse y arreglarse la ropa, a pesar de su reciente encuentro apasionado. Al ser palpado de armas, se había angustiado en caso de que se dieran cuenta de lo que habían estado haciendo; podrían haber sido llevados por atentar contra la moral pública. Pero los policías estaban entrenados para oler comunistas y subversivos; las fragancias que dejan los actos del amor les eran desconocidas. Y la marihuana no les importaba. Al final de tanta historia, las bestias se llevaron a unos pobres tipos, seguramente inocentes: todos estudiantes con barba.

En la comisaría, los policías no mostraron mayor interés por su relato. Un oficial joven con cara de aburrido mecanografió lentamente su declaración. Daniel la firmó, dejó su número de teléfono y lo despidieron con frialdad.

–Veremos qué se puede hacer –le dijo el oficial–. Como sabrá, estamos en plena guerra. No tenemos tiempo para asesinatos menores –Daniel tuvo ganas de darle una trompada.

–Ojalá ganen los buenos –le dijo al irse. El oficial lo miró desconfiado.

No se hablaron mucho en el trayecto de vuelta en el tranvía. Ella quebró el silencio:

–Tengo algo que decirte.

La miró. Sintió una brecha que inesperadamente se iba abriendo entre los dos.

–Hay un hombre... –Daniel se descubrió haciendo diferente planes para el futuro, todo en una fracción de segundos. Para escapar de eso, pensó: "*La memoria nos protegía, salvajes y amantes.*" Estaba inspirado en algo, ¿pero de dónde había salido?

–... era un francés, creo que del Consulado o de la Embajada –siguió diciendo Wanda.

"*Hay* un hombre...", pensó Daniel, "pero *era* un francés."

–Venía a verme una vez por semana, siempre a la misma hora. Me llevaba en su auto a un hotelito del centro. Andaba con una mochilita donde llevaba una pava, una tetera, y un par de tazas y platitos. Cuando llegábamos a la habitación, calentaba agua y preparaba té. Nos sentábamos al lado de la ventana y comíamos *éclairs* de chocolate mientras él me contaba historias sobre su esposa infiel. Parecía un tipo normal, aunque al comienzo me dio un poco de miedo; era muy generoso con el dinero; me pagaba tanto que por un tiempo no necesitaba salir a trabajar.

Wanda no podía mirarlo a los ojos.

–La primera vez –continuó Wanda–, pensé que podía tener sogas de cuero o alguna de esas cosas extrañas, pero me arriesgué. Me preguntó si sabía algo sobre Francia y yo le dije que no. La última vez me regaló un long-play; son canciones de Georges Brassens.

–¡Por fin vamos a poder escucharlo! –dijo Daniel, como único comentario. Wanda lo había escondido en la casa por un tiempo, aun sabiendo que les habría gustado a todos escucharlo. Había tenido vergüenza de confesarlo.

Wanda se inclinó contra su hombro. La rodeó con su brazo y la apretó junto a él. Detrás de esa caparazón que la hacía parecer tan fuerte, había una niña asustada que soñaba con tiempos mejores: un marido y un hogar, hijos y seguridad, el respeto de los demás. Vivir en la casa de Olinda era lo más cercano a una vida "normal".

Daniel le preguntó:

–¿Qué puedo hacer por vos?

Wanda sacudió la cabeza. El *bondinho* se estaba acercando a la parada. Ella le tomó la mano y la besó.

–En realidad –dijo al rato, casi formalmente–, hay una cosa que quisiera que hagas.

–¿Qué?

–Enséñame francés –le rogó.

De todas las cosas que Wanda podría haberle pedido, ésa era la más deliciosamente absurda: con lo que Daniel sabía de francés no le alcanzaba ni para enseñarle a un loro.

Se bajaron del tranvía y caminaron hasta la casa con parsimonia, tomándose su tiempo para disfrutar de besos prolongados bajo los árboles. Wanda supo por primera vez de su relación con Lola y él se enteró de los terrores de Wanda. Todo el tiempo la invadían fantasías que la hacían vivir en un mundo de miedos y de angustias: que la iba a pisar un auto y se iba a quedar paralítica; que su padre, a quien todavía quería y admiraba, iba a ser devorado por una serpiente venenosa en la selva; que Daniel iba a ser acuchillado por un borracho violento en una calle desierta. Las fantasías eran muchas y variadas; la perturbaban y la hacían sentirse indefensa. Las imágenes cobraban una presencia inmediata en su mente. Intentó tranquilizarla:

–Todo el mundo tiene esas fantasías, es el poder de tu imaginación, es lo que hace que la gente sea creativa.

–Yo no sé crear nada –protestó Wanda.

–¿Qué sabés? A lo mejor sos la mejor autora de letras de sambas y todavía nadie te ha descubierto.

Esa idea pareció levantarle el ánimo.

En la última esquina, antes de doblar para la casa, Wanda le dijo en voz muy baja:

–Tengo otra cosa que decirte.

–Siempre que no sea otra de tus fantasías terroríficas.

–Olinda me contó un secreto. No sé si puedo contártelo.

–Si es un secreto, no me lo cuentes.

No obstante, un poco más adelante, Daniel le preguntó, lleno de curiosidad:

–¿Y? ¿Me vas a contar el secreto?

–Es sobre Luigi. Luigi y una perra –confesó Wanda; había disfrutado ese momento por anticipado–. Parece que cuando era chico, tuvo un romance con la perra de una vecina.

–¡Un romance! ¡Qué ridículo! ¿Cómo una perra? ¿Qué tipo de perra era?

–Una perra salchicha llamada Ágata.

–Son puros inventos de Luigi, no me lo creo para nada.

–Era de una señora que vivía al lado de su casa, le contó a Olinda que él iba todas las tardes a jugar a su patio en el verano. Y en esas largas vacaciones escolares, se sentaba bajo un árbol, se sacaba el pito y se lo dejaba lamer por Ágata.

Se imaginaba a Luigi con las piernas abiertas, haciéndose la paja con una perra bajo la sombra de un árbol. Era desopilante.

–Bueno, de romance no tiene mucho, ¿no? –dijo Daniel, divertido.

Cuando estaban abriendo la puerta de la casa, Wanda le pidió:

–Olinda está preocupada por la relación que él tiene con Joacaría. No le vas a contar nada a Luigi, ¿me lo prometés?

–Absurdo. ¿Qué carajo piensa Olinda que puede llegar a hacer Luigi con un papagayo?

Encontraron a Luigi en el living, tomando notas, con Joacaría posado sobre su hombro, acariciándole el pelo con su pico. Olinda se suponía que estaba durmiendo la siesta.

–¿Cómo les fue? –preguntó Luigi.

Wanda se dirigió de inmediato a la cocina. La oyeron cantar sola. Al rato, Luigi preguntó:

–¿Pasa algo?

Después de dudar unos segundos, le dijo la verdad:

–Me enteré de lo de Ágata.

Y largaron la carcajada.

–Yo te dije: los seres humanos no son confiables, siempre te traicionan con tus secretos.

–Mirá que sos astuto, hijo de puta.

Luigi le contó sobre los veranos en el patio de su vecina, cómo había empezado todo. Él tenía unos diez u once años y tenía terror de que lo descubrieran; la dueña de la perra era una gorda llamada Claudia, que vivía con su hermano, los dos solteros.

Olinda, todavía medio dormida, se apareció por la puerta a los tumbos y, al pasar, acarició a Luigi en la cabeza. Momentos más tarde, Wanda apareció con el long-play de Brassens y lo puso a tocar.

A partir de entonces, escuchaban a Brassens todo el tiempo, mañana, tarde y noche. Joacaría pronto abandonó su idish y aprendió algunas palabras en francés: *première arête* se transformó en su saludo favorito de todas las mañanas, seguido de cerca por *tramontane*, mientras que *Valéry* ocupaba un cómodo tercer lugar. Olinda pensaba que Joacaría usaba distintas palabras para expresar sus cambios de humor y le hablaba al pájaro en diferentes tonos de voz según su propio estado de ánimo. Wanda trataba de aprender las canciones, mientras Daniel sufría en silencio su incapacidad de hablar francés.

–Acá lo tenés –dijo Luigi, con énfasis–: un símbolo vivo del destino de tu raza.

–¿De qué carajo estás hablando?

–De la asimilación, de eso estoy hablando. Hasta a un papagayo criado por judíos le gustaría convertirse en cristiano.

–No todos los judíos quieren asimilarse.

–Todos no, pero los suficientes –insistió Luigi.

–Si te hubieran perseguido durante miles de años, vos también estarías tentado de identificarte con tu enemigo, fuerte y poderoso. El perseguido siempre querrá perseguir; el torturado será el futuro torturador. Pero miralo a Joacaría: es cierto que perdió lo poco del idish que sabía, pero no aprendió ni portugués ni castellano, que habría sido lo más lógico. En cambio, aprendió francés; sigue manteniéndose al margen.

El antisemitismo estaba presente en todas partes en la Argentina pero todo el mundo lo negaba. Daniel había participado en frecuentes peleas callejeras contra los ultranacionalistas, sobre todo en la época de la laica y la libre, esa amarga campaña en contra de la instrucción católica obligatoria en las escuelas públicas. Por entonces, tendría unos catorce años, y andaba con una cachiporra en su portafolios. Así se sentía más seguro, aun sabiendo que un pedazo de manguera llena de piedritas y de arena le iba a resultar completamente inútil comparado con las pistolas y cuchillos que usaban sus enemigos.

Los cuatro se quedaron en silencio un largo rato. Ni siquiera Joacaría se animaba a hacer ruido. En ese momento, había una imagen que no podía borrar de su mente: veía, como había visto tantas veces desde colectivos y trenes, las paredes de Buenos Aires con pintadas que urgían: "¡Haga patria! ¡Mate un judío!".

2

Querido amigo Daniel:

Gracias por tu carta, los recortes del diario y el libro maravilloso que me mandaste. Sí, me declaro ignorante: no había oído hablar de Carlos Drummond de Andrade, ¿no es una vergüenza? Cuando el cansancio me lo permite, trato de leer algunos poemas antes de quedarme dormi-

do. Laura se divierte mucho con mi acento portugués. Te digo una cosa: me parece raro oírnos reír. Hoy en día, con lo que está pasando acá, tenemos que contentarnos con los pocos retazos de placer que a duras penas podemos conseguir. Yo dejé de escribir, por el momento, pero por supuesto sigo con la enseñanza. A dos compañeros del sindicato docente los metieron en cana. Eran miembros del PC, como yo. Como bien sabés, el PC es bastante inofensivo. El Comité Central está más preocupado por lo que piensa Moscú y por ser aceptados por la burguesía; hacer la revolución no es una prioridad urgente. Pero la maligna propaganda que parece ser diseminada por los medios cercanos al gobierno, advirtiendo al pueblo argentino sobre un imaginario complot comunista, ateo, judío, anticristiano y antioccidental, está logrando crear un estado de miedo. Estamos siendo testigos del triunfo de la barbarie. La sensación que siempre tuvimos, de una garantía mínima de seguridad personal en esta ciudad, se está deteriorando rápidamente. Creo que esta incertidumbre empezó esa misma noche que invadieron la Facultad de Ciencias Exactas. Los tipos que están hoy en el gobierno tienen la convicción mesiánica y siniestra de que están acá para salvarnos; esto es lo más peligroso porque engendra fanáticos. Pero no todas las noticias son malas. Onganía mandó una carta reconciliadora a la colectividad judía; ahora parece muy preocupado (quizás por la presión yanqui) por dar una imagen democrática. Disculpame por ser tan sombrío. En fin, en mi familia estamos todos bien: Laura está más hermosa que nunca; y los chicos parecen muy felices. Terminaré esta carta con los versos de Drummond: Mundo mundo vasto mundo,/ se eu me chamasse Raimundo/ seria uma rima, não seria uma solução. *Chau. Un abrazo a Luigi y otro grande para vos, Tu amigo, Damián.*

3

A veces, Daniel sentía que si no escribía, era porque no tenía mucho que decir. Era un sentimiento que lo perseguía frecuentemente pero que permanecía ambiguo. Y era esa misma ambigüedad la que, irónicamente, lo impulsaba a escribir. Soñaba con un día en que podría convertir la escritura en una actividad catártica, de liberación total, donde el pasado se confundiría con el presente, donde todos los distintos personajes y situaciones que alguna vez formaron parte de su vida se amontonarían en un solo instante de realización. La conciencia no sería necesaria: el destino de esa escritura no podría definirse, no trataría de explicar ni de justificarse.

Y un día, naturalmente, espontáneamente, se encerró en el dormitorio y se puso a escribir por tres días y tres noches consecutivas. Lo hizo con rabia, con nostalgia, como si fuera su último gesto de creatividad. Casi no comía, de vez en cuando un café y un sándwich, quizás una caminata corta, una ducha apresurada. Nunca le había pasado cosa semejante. Wanda entendió y lo dejó a solas. Se sintió alucinado, poseído, pero contento.

Cuando se despertó por fin de su trance poético, se dio cuenta de que las señales que anunciaban lo que estaba por venir habían sido muy claras. Sin embargo, ninguno de ellos les había prestado atención. La leche fresca se empezó a cortar y el queso a ponerse rancio, pero pensaron que quizás la heladera no estaba funcionando bien. El hombre que vino a arreglarla, quien les cobró una fortuna por la visita, declaró que el aparato andaba a las mil maravillas. Después, el tomillo plantado en las macetas colgadas en el patio se marchitó de la noche a la mañana. Olinda pensó que a lo mejor los gatos del barrio eran los culpables pero no estuvieron de acuerdo. ¿Por qué se iban a tomar semejante molestia, treparse a un lugar tan incómodo, cuando tenían toda una selva alrededor en la que podían mear y cagar a sus anchas? Por su lado, Wanda tuvo una serie de pesadillas que la atormentaban y la hacían llorar: día tras día, al despertarse, ella necesitaba contárselas a Daniel mientras tomaban el desayuno. Fue sólo más tarde, al rememorar los acontecimientos pasados, que empezaron a otorgarles la importancia debida, a verlas como un mal presagio. Uno de esos casos en los que el futuro determinaba el pasado.

No obstante, hacia el final, hubo dos hechos que no pudieron ignorar: una mañana empezó a salir agua de nuevo por el agujero de la bañera. Olinda despertó a Wanda para mostrarle la basura de las cañerías y le rogó –desesperadamente, con insistencia– que hiciera algo para solucionarlo. ¿Qué podría haber hecho Wanda para consolarla? Por suerte, el extraño fenómeno duró apenas un par de horas, lo suficiente como para estropearle el ánimo a todo el mundo.

Después, notaron el silencio de Joacaría: se había quedado mudo, distante, sumido en un estupor melancólico. Luigi pasó parte de la mañana sentado con él junto a la ventana, hablándole, recitándole poemas en italiano y contándole algunos de los cuentos más hermosos que recordaba. Todo en vano. Así que, cuando al promediar la tarde, Daniel (sintiéndose especialmente contento después de haber terminado su hazaña catártica) abrió la puerta y los vio ahí parados, lo adivinó de inmediato: los presentidos Ángeles de la Muerte.

–Tendríamos que haber clavado una piel de búho en la puerta de esta casa –dijo a modo de bienvenida.

–¿Y eso qué significa? –preguntó uno de los hombres. Alto y gordo, podría haber pasado por el forzudo de un circo pero su pelo cortado a la americana lo delataba claramente como policía.

–Una piel de búho en la puerta protege a los hogares decentes contra el mal en todas sus formas –mientras les hablaba, Daniel no dejaba de sonreír–. Es un chiste, caballeros. ¿En qué puedo ayudarlos? Si están vendiendo seguros, no necesitamos.

–Policía –dijo el forzudo del circo, que parecía el líder–. Venimos a allanar la casa –nada de presentaciones formales.

–¿Tienen la orden de allanamiento? –la pregunta era realmente graciosa. Sabía que les importarían un bledo los procedimientos legales.

Los monos intercambiaron miradas de reojo.

–¿Esto será suficiente? –preguntó el líder, abriéndose la chaqueta para dejar entrever la pistola que llevaba sobre su corazón.

–No tenemos nada que esconder. En esta casa, gente como ustedes será siempre bienvenida –sin duda, los revólveres estaban cargados; aunque no sintió miedo, se acordó de las cartas de Damián.

–¡Che! –les gritó a los que estaban adentro–. ¡Tenemos visitas!

En cuanto Joacaría vio aparecer al gordo, empezó a chillar desaforadamente, retomando su idish materno: "*Kish me in tujes!*". Se había terminado el sofisticado francés.

–¡Haga callar a ese pajarraco de mierda! –ordenó el policía más menudo.

Parados en medio del living, los dos cerdos parecían el Gordo y el Flaco –en versión folklórica y mulata. Hasta se vestían igual que Laurel y Hardy. No obstante, no podían engañarse, la cosa era en serio: esos tipos pertenecían a la policía secreta. Joacaría entendió la situación perfectamente y se mantuvo con el pico cerrado el resto del tiempo. En sus ojos se adivinaba un brillo especial: de regreso de su viaje imaginario a Montparnasse, Joacaría –aunque con miedo– parecía divertirse por el momento.

–¡Documentos! –pidió el detective Oliver Hardy. Las dos mujeres les mostraron sus cédulas de identidad. Luigi y Daniel hicieron lo mismo con sus pasaportes. Después de mirar los papeles sin prestarle mucha atención, el detective anunció:

–Muy bien. Ahora quisiéramos ver la casa.

–¿Quieren un café? –preguntó Luigi.

Los dos hombres se mostraron un poco sorprendidos. Dijeron que no con la cabeza.

–Voy a preparar café para nosotros –anunció. Se fue a la cocina mientras el Gordo y el Flaco avanzaban por los pasillos a registrar las habitaciones. Muy pronto, se los oyó abrir y cerrar las puertas de los placares, sacando cajones, revisando papeles.

–¿Alguien tiene yerba? –preguntó Wanda en voz baja.

–Yo no –dijo Olinda.

–Que yo sepa, ni Luigi ni yo tenemos tampoco.

Tener marihuana en la casa no hubiera sido el peor de los males, esa gente buscaba otra cosa: libros, panfletos, cualquier tipo de literatura que confirmara sus expectativas de que existía una conspiración comunista. Lo más preciado por ellos hubiera sido encontrar una libreta de direcciones con montones de militantes.

Sin que los demás lo notaran, Olinda había sacado de la casa todas las cosas que pudieran comprometerlos. En el fondo, ése era un gesto inútil: sus cuadros hablaban claro y sus antecedentes eran conocidos; ya la tenían fichada desde hacía años y había estado en la cárcel varias veces.

–¿Quién es éste? –gritó Stan Laurel desde una de las habitaciones. Era el póster del Che Guevara. Daniel corrió a la habitación.

–¿Quién? –después, mirando el póster, dijo–: Ah, ése es Gilberto Gil.

–¿Y quién lo conoce a ese tipo? –preguntó Laurel. El Che era inconfundible, pero era una foto en blanco y negro oscura; el humo del puro que sostenía en una mano le cubría alguno de sus rasgos más distintivos.

–Es un cantante. No es muy conocido pero promete el muchacho, promete –dijo Daniel, consciente de que no le convenía hacerle sentir al policía que sabía más que él. ¿Quiere que ponga alguna de sus canciones? Debe haber escuchado a Caetano Veloso; Gilberto Gil es uno de sus amigos.

–Seguro lo escuché alguna vez por la radio, debo de haber visto su foto en algún otro lado.

Laurel parecía sospechar algo. Daniel estaba convencido de que, allá en lo más recóndito de su cerebro, el policía había identificado la foto. De todos modos, los tipos parecían estar cumpliendo con una rutina.

De regreso al living, Hardy le preguntó a Olinda:

–¿Dónde está su hijo?

–¿Qué le importa? –estalló, indignada. Un error táctico, Olinda se dio cuenta de inmediato: a los canas les encantaba ser provocados. El gordo la agarró de un brazo y la forzó a sentarse en una silla.

–A mí no me vas a decir qué me importa y qué no me importa, bolche de mierda. ¿Cuántas veces te metimos en la cárcel ya? ¿Querés que te llevemos otra vez? ¿Qué está haciendo toda esta gente aquí? Los hemos estado observando, ¿esto es una célula? ¿O qué?

Por unos minutos, lo único que se podía escuchar era la respiración pesada de Laurel, el que jadeaba; probablemente era asmático. Daniel rogaba para sus adentros que Olinda no perdiera el control.

–El chico está en el norte, con los abuelos –intervino Wanda–. Viven en San Francisco, el pequeño va a la escuela allá.

Wanda tenía años de experiencia con la policía y sabía cómo tratarlos.

–Está destinado a ser un gran hombre –agregó.

–Me importa un carajo dónde está su hijo, ¿me entienden? Quiero que me digan claramente quiénes son cada uno de ustedes y qué carajo hacen, edad, domicilio, empleo, etc. ¡Claramente! ¿Se me entiende bien?

No fue difícil: Olinda Morais, viuda y pintora. Luigi Marino, soltero y escritor. Daniel Goldstein, soltero y poeta. Wanda Ribeiro, soltera e inspiratriz.

¿Inspiratriz?

El gordo hacía las preguntas mientras el flaco anotaba; ninguno de los dos se animaron a mostrar su ignorancia cuando Wanda declaró su ocupación.

–Hablemos claro: ésta fue una inspección de rutina. Ustedes no tienen pinta ni de guerrilleros ni de matamoscas. Pero tengan cuidado, más vale que no se metan en nada. Nosotros sabemos todo de todos. Y estamos en guerra.

Esto ya lo escuché varias veces, pensó Daniel.

–Gracias por el consejo –dijo Wanda.

Cuando se fueron los policías, Olinda sugirió salir al patio.

–Necesito aire fresco –dijo.

Le pidió a Luigi que sacara un par de mantas y las extendió en el piso, una al lado de la otra. Los cuatro se acostaron con las cabezas juntas en el medio, mirando al cielo: había salido el lucero. Se quedaron en silencio un rato largo para recuperarse, disfrutando de los ruidos de la selva. La visita de los policías los había sacudido. Ahora estaban agradecidos porque no había pasado nada desagradable; además, estaban los cuatro juntos. Luigi sacó un porro, que tenía escondido en una de sus medias; el hecho fue debidamente celebrado por todos. Una revancha pequeña pero dulce. Era bueno volarse un poco, festejar la existencia de *inspiratrices*. Se revolcaron de la risa al recordar.

–¿Qué es una inspiratriz? –Daniel preguntó.

–Una mujer que inspira a los poetas a escribir los mejores poemas de amor –declaró ella.

–Río está llena de gangsters, criminales y rufianes. Pero no, los hijos de puta prefieren agarrárselas con una artista, afiliada al Partido Comunista, el grupo político más inofensivo de nuestra historia. Y ni siquiera soy ahora militante activa de ese partido de mierda. Antes de que mi hijo naciera, no me importaba que me metieran presa. Al contrario, era una manera de expresar mi solidaridad con tanta gente oprimida alrededor del mundo; era un privilegio. Supongo que tuve suerte, jamás me torturaron ni me maltrataron, era demasiado conocida como para que me hicieran algo. Por otro lado, ser famosa me convirtió en una presa fácil. Si yo desapareciera, ¿qué sería de David? Me alegro de que esté ahora con mis padres pero lo extraño.

En ese momento, Daniel hubiera querido que David estuviera ahí. Por Olinda, por David, por él mismo. Si bien era comprensible que Olinda lo hubiera mandado a la casa de sus abuelos, les faltaba algo. Sus juguetes y su cama vacía les recordaban su ausencia todos los días.

Olinda se puso melancólica:

–Mi padre era *barqueiro*, iba río arriba y río abajo, trayendo *farinha*, azúcar, sal y, de cuando en cuando, un poquito de marihuana de regalo para el puñado de policías y funcionarios de los pueblos remotos. En verano, me llevaba con él. Había tejido una pequeña hamaca especial para que yo durmiera en la barca. A la noche, nos recostábamos, él en su hamaca, yo en la mía, y me enseñaba los nombres de las estrellas.

Olinda les contó de los miedos que sentía en lo alto de esas noches cálidas y aterciopeladas. A veces, si su padre se dormía primero y ella se quedaba despierta por mucho tiempo, sola y atenta a los ruidos nocturnos de la selva cercana, la invadía un sentimiento siniestro y aterrador. En esos momentos, creía adivinar la presencia del *bicho da água*, el monstruo que vive en el fondo del río.

–La gente le rezaba y arrojaba tabaco y hierbas medicinales al río para calmarlo. Decían que cuando se enojaba, salía del agua y se llevaba a las chicas vírgenes, escondido tras la espesa manta de niebla de la noche. Desde mi hamaca, yo oía ladrar a los perros que rondaban las barrancas del río, anunciando su presencia; veía las lucecitas amarillas que brillaban sobre las casas junto al agua cuando el bicho espiaba por las ventanas abiertas para elegir a sus víctimas. A veces, había barcos fantasmas que se llevaban los cuerpos de la gente que él había ahogado, todos vestidos con túnicas negras largas. Decían que las vacas que se acercaban al río a tomar agua eran tragadas por el monstruo.

Quizás en respuesta a Olinda, Wanda empezó a cantar una canción de cuna, la misma que su abuela le había cantado a su mamá, quien a su vez se la había cantado a Wanda todas las noches durante muchos años. Estaba llena de palabras extrañas y nombres Yoruba. Wanda les contó que la letra hablaba de un continente legendario, un lugar mítico del que habían venido los negros, una tierra donde no se conocía el hambre y la libertad era posible.

Después, se volvieron a quedar en silencio hasta que Daniel empezó a contar:

–A mí la policía me agarró varias veces en manifestaciones estudiantiles; todos terminábamos empapados por los camiones de agua, sin poder parar de llorar por los gases lacrimógenos; nos metían en sus camionetas y nos llevaban a distintas comisarías; anotaban nuestros nombres y nos largaban. Una vez me agarraron en la casa de una amiga metida en la guerrilla; era la amante de uno de los primeros soñadores que se habían ido a las sierras a empezar la revolución. Después de ir al cine juntos, me invitó a pasar la noche en su departamento. Los canas llegaron a la madrugada y nos llevaron a todos: a mi amiga, a otra mina que vivía con ella, y a mí. Tuve suerte, me largaron a las veinticuatro horas. Pero descubrí cuántos informantes había entre la gente que yo conocía. Mientras estaba sentado en un banco, ahí, en el edificio de la calle Moreno, esperando a que me tocara el turno para que me interrogaran, vi una docena de caras conocidas que iban y venían por los pasillos con papeles y legajos. Gente que yo había visto muchas veces en *La Paz*, en el *Politeama*, en el cine Lorraine, en las librerías de Corrientes: eran todos una manga de alcahuetes de mierda.

Los matones hijos de puta que estaban a cargo del terror sabían cómo sembrar el miedo y la desconfianza. Ejercían un poder maléfico, tanto en la Argentina como en el resto de Sudamérica.

En realidad, se habían imaginado que –tarde o temprano– los pájaros de mal agüero se les aparecerían. Verlos ahí, en esa casa colonial del morro de Santa Teresa, había sido un triunfo de la imaginación. La represión se estaba sistematizando rápidamente, no dejaban rincón sin investigar, eso había estado muy claro desde el comienzo del golpe que derrocó a Goulart. Por supuesto que le iba a tocar a Olinda también.

Ella había sugerido unas semanas atrás que todos se mudaran. Había vendido muchos de sus cuadros a una aristócrata española de la que se había hecho muy amiga. La española tenía una mansión en el Recreio dos Bandeirantes, una playa tranquila, destino final de varias rutas de ómnibus. Era un lugar seguro; la condesa tenía muchos contactos entre los militares. La policía jamás se atrevería a allanar su casa. Pero en aquel momento, nadie había tomado en serio la propuesta de Olinda.

Wanda preguntó de repente:

–¿Por qué será que los hombres no le pueden decir "te quiero" a una mujer?

Inolvidable Wanda. Semejante sentido de la oportunidad. Olinda y Daniel soltaron la carcajada, pero Luigi se quedó serio como una piedra. Daniel no pudo ignorarlo. Le sugirió a Wanda que le preguntara a Luigi.

–Él sabe de esas cosas.

Luigi le hizo frente al desafío:

–¿Y por qué es tan importante? No son más que palabras, las mujeres están tan enfrascadas en ellas mismas. Lo importante es el sentimiento, no las palabras.

–Como si no te gustara cuando yo te digo cosas dulces –dijo Olinda.

–Claro que me gusta –admitió Luigi.

–¿Entonces por qué vos no las podés decir a Olinda? –preguntó Wanda.

–Sí que se las digo –protestó.

–¡Qué mentiroso!

–No soy ningún mentiroso. Lo digo con los ojos, con mis gestos, lo grito con mi cuerpo y con mis acciones.

–Estamos hablando de palabras –intervino Daniel, sólo para provocar. Pero sabía que Wanda tenía razón–. Después de todo, muchos de nosotros escribimos poemas de amor y canciones y novelas llenas de pasión.

Te quiero con todos los tambores de la lluvia.

–A lo mejor, es porque no lo sienten –arriesgó Wanda. Eso dolía pero no era cierto.

–Bebés, eso es lo que son, los pobrecitos –disparó una voz cascada que venía del cielo. Era la vieja que había contemplado a Daniel ducharse el primer día que había estado en casa de Olinda–. Tendrían que verlo al viejo, cómo me chupa las tetas. Las pobres, ya las tengo gastadas y resecas, pero él sigue igual, chupándolas como si de ellas brotara *cachaça*. ¿Conocen el dicho? *Un par de tetas tiran más que dos carretas.* Son todos unos cachorritos, se los digo yo. Eso es lo que son. Quieren chupar, no hablar. El viejo nunca me dice nada.

–¡Dios mío! Está loca –dijo Olinda en voz baja–. Y después, mirando para arriba, le dijo a la mujer–: Buenas noches, doña Teresina, *¿todo bem?*

–¡Muy bien! Estas noches de calor son tan hermosas, me llenan de un amor inconsolable, sí, todo bien, pero es difícil estar sola, esta *saudade* me está matando.

A pesar de su locura, tenía conciencia de que estaba sola, que no había ningún viejo viviendo con ella chupándole las tetas. Todos sabían que el marido de Doña Teresina había muerto hacía más tiempo de lo que Olinda podía recordar.

4

Habían pensado que los malos presagios tenían que ver con los policías pero las pesadillas de Wanda continuaron.

Y poco más tarde, empezó a sentirse mal: el mínimo olor a café le provocaba arcadas; los huevos y sobre todo la carne le producían vómitos inmediatos. En esos momentos, Wanda se sentía morir.

Mientras tanto, Olinda se había metido en una nueva serie de pinturas. Después de la corta e intensa ausencia de Daniel por su poesía, era ella la que estaba ahora como en otro mundo, desconectada del resto del grupo; parecía no preocuparse por el malestar de Wanda. Ella misma creía que sus náuseas eran un mensaje de los dioses, pero tampoco quería hablar mucho del tema. Hasta que un día trajo unas hierbas del mercado, las mezcló y las hirvió para preparar una infusión. Tomaba ese caldo aromático todas las noches antes de acostarse. Daniel pensaba que Wanda tenía que quedarse en cama y descansar. Pero como ella se sentía feliz la mayor parte del día, Wanda lo tranquilizaba diciendo que no había razones para preocuparse. Se dejó convencer y postergó su intención de llevarla a un médico.

Y un día los malestares desaparecieron de golpe.

La mayoría de las noches, Wanda interrumpía el sueño profundo de Daniel para contarle sus pesadillas. Aunque aterrorizada, estaba molesta porque los sueños no duraban mucho; eran fugaces y precarios. Hubiera preferido que perduraran más.

–Siento que alguien me los está escribiendo en el agua, por eso no me da tiempo a entenderlos. Si pudiera estar más metida dentro de esos sueños, más comprometida.

Comprometida, una palabra nueva aprendida de Olinda.

–Debe ser un alivio que no duren una eternidad –la consoló.

–Tengo miedo de quedarme atrapada en un sueño; me aterra la idea de no poder regresar. Sin embargo, quiero estar ahí. ¿No me estaré volviendo loca?

–Ya estamos todos bastante locos, va a ser difícil empeorar.

La abrazó, le acarició el pelo, le besó las orejas. La sintió aflojarse en sus brazos.

–Con vos, nada como los mimos, ¿no? Te quiero por eso.

–Muy dulce, pero en cuestiones de amor no tendrías que mentir.

–¿Cómo podés decir que soy mentiroso?

–Muy fácilmente.

–Evidentemente, no hay forma de ganar: si no te digo nada, te quejás, y cuando te digo algo dulce, me acusás de mentiroso.

–Pues así es la cosa.

En esos días, hacían el amor en cuanto se despertaban. Después, salían a caminar por las calles empinadas y sinuosas de esa zona antigua de Río, admirando las viejas casonas coloniales, el Convento de Carmelitas, el Hotel Santa Teresa, el Vista Alegre, el *Largo de Guimarães*. Solían terminar sus caminatas en el bar Waldemar, que abría al mediodía, el momento perfecto para tomar un café dulce y fumarse el primer cigarrillo. Por suerte, el dinero de la beca seguía estirándose.

Cuando se sentía mal, una de las pocas cosas que lograba levantarle el ánimo a Wanda era la música de Georges Brassens.

–¿Te cuento algo?

–¿Qué?

–Al principio, las pocas veces que estuve sola, esa música me hacía acabar –la miró incrédulo. Pero Wanda no jodía con esas cosas. Bajo su piel oscura, se había puesto colorada.

–¿Nada más que con la música? ¿Qué es lo que te calienta? ¿La voz?

–Me acariciaba con la voz de una forma que me hacía vibrar todo el cuerpo.

Daniel decidió en ese mismo momento dejarse el bigote, aprender francés, cambiar su acento y tomar clases de canto.

–Me da celos –admitió.

–Ya sé, pero no es más que una voz.

–Peor todavía. Ni siquiera puedo competir con esa voz de mierda.

–Ahora, cuando lo escucho, me despierta una sensación completamente diferente. Es una especie de calidez, me siento segura y protegida por él, me recuerda a mi papá. Cuando yo tenía tres o cuatro años, me metía en la cama de mis padres y me quedaba acurrucada en sus brazos, jugando con el pelo de su pecho. ¡Lo quería tanto!

A pesar de que su padre la había expulsado de su familia con tanta crueldad, Wanda siempre hablaba de él con un cariño especial. La ponía triste pensar en él pero nunca se había mostrado resentida. Al mirarla, al ver los lagrimones que le caían por las mejillas, Daniel se dio cuenta de cuánto la quería.

Y un día, Wanda se volvió a sentir mal.

–Ayer me visitó mi mamá en mis sueños. Estaba parada en medio de un velero, completamente sola, no parecía estar en control; el barquito andaba despacio, ayudado más por la corriente del río que por la vela. Ella abría y cerraba la boca como un pescado. Me vio parada a la orilla del río, me saludó con la mano y me dijo: "Celebremos tus excesos". ¿No es raro? ¿Qué habrá querido decir?

–No sé.

–Tengo miedo de que me castiguen por ser feliz.

–Eso no tiene sentido –le aseguró Daniel, consciente de que él también había estado pensando en mal de ojos y siniestras brujerías–. Tendríamos que ver a un médico. Por lo menos, para saber qué piensa.

Olinda había bajado de las nubes creativas en las que había estado flotando por un tiempo y sugirió que, en lugar de ir al médico, consultaran primero a su *pai de santo*. Él iba a poder decirles si era un malestar físico o el resultado de una brujería malévola contra Wanda.

–¿Adónde fue a parar tu materialismo dialéctico? Yo quisiera saber qué diría el Partido –se quejó Daniel.

–En Brasil, todo el mundo va tanto a la iglesia como al *terreiro*. En el caso de mis camaradas, oficialmente, puede que se opongan a la religión, pero a la *macumba* la respetan. Por si acaso.

En verdad, la idea lo intrigaba.

–No te pongas así –le dijo Wanda–. Es solamente una visita al *pai*, no va a ser una ceremonia completa.

"Solamente una visita". No era tan simple la cosa. Les habían advertido infinidad de veces sobre los peligros de las *favelas*; el *pai de santo* vivía en una de ellas. ¿Y si los asaltaban? Sabían que ningún extranjero se atrevería a meterse en una *favela*, tenían que confiar en el buen criterio de Olinda; la gente de la *favela* la conocía; les daba clases de dibujo gratis a los chicos, seguro que no iba a pasar nada. Efectivamente, Olinda hizo los arreglos necesarios a través de uno de sus alumnos.

La entrada a la *favela* tenía un aspecto bastante inofensivo; una especie de tranquera daba a un camino angosto y sinuoso que bajaba la colina. Luigi y Daniel siguieron a Olinda y Wanda, que se reían y hablaban a todo volumen. No parecían tener miedo y pasaban de un tema a otro con la misma pasión.

–¿Alguna vez recibiste el llamado místico? –preguntó Luigi a Daniel.

–¡Nunca! ¿Y vos?

–No, nunca.

–Un primo mío estaba metido en esas cosas; me hablaba con entusiasmo acerca de sus experiencias pero nunca me interesó.

–¿Desde cuándo tenés un primo? Nunca me contaste que tenías primos.

–¿Y eso qué tiene que ver? Por supuesto que nunca te conté que tenía primos. ¿Y qué? ¿Me estás tomando el pelo o sos boludo nomás? Vos no sabés todo lo que hay que saber sobre mí.

–Me parece raro que nunca me hayas contado que tenías primos.

–Tengo cuatro primos hermanos y cuatro primos segundos. ¿Estás conforme ahora?

–No me importan los detalles. Yo lo único que digo es que me sorprende que no me hayas contado antes que tenías primos –insistió Luigi.

Una conversación de sordos; quizás los dos estaban ansiosos. Pero era fácil para Daniel reconocer el estado de ánimo en que estaba Luigi; lo había designado como "terquedad trascendental".

Pasaron despacio junto a las ventanas de los ranchos en silencio, mirando furtivamente hacia el interior. Olinda y Wanda ahora habían bajado la voz, apenas hablaban. Las casuchas diminutas estaban pegadas unas a las otras. Eran de ladrillos, cajas de cartón y pedazos de madera; algunas tenían paredes hechas con grandes bloques de chapa. El aire era dulzón, impregnado del olor de los plátanos fritos en aceite *dendé*. Protegido por la oscuridad, Daniel se sentía incómodo por estar espiando a través de las ventanas sin cortinas. Como en muchos otros hogares del resto del mundo, el centro de la vida familiar era el televisor, ofreciendo a todo volumen sueños inalcanzables para gente de tan extrema pobreza.

Llegaron a un kiosquito que vendía *cachaça*, arroz, porotos negros y azúcar. La escasa mercadería estaba en exhibición en un mostrador formado por una puerta vieja apoyada sobre dos pares de cajones de fruta vacíos. El dueño del kiosco estaba sentado sobre el mostrador improvisado hablando con otros dos hombres; todos aparentaban más edad de la que posiblemente tenían. Con botellas de cerveza en la mano, sonrieron a los recién llegados, mostrándoles sus dientes podridos.

–Buenas noches –saludó Olinda–. ¿Saben si Don Severino está en su casa?

–Debe estar, sí –dijo el dueño–. Hoy no lo vi irse. Pase, pase. Usted sabe dónde es, ¿no? –Olinda le agradeció y les hizo señas a los demás para que la siguieran.

Había senderos angostos que se bifurcaban desde el camino principal: subían y bajaban por la colina, eran el único acceso a cientos de casitas escondidas detrás de las que estaban al frente. Olinda se detuvo en la entrada de una de ellas; parecía estar tratando de reconocer la casa en la oscuridad de la callejuela. Estaban todos en silencio, mirándola, cuando se desató un chaparrón. Dejaron que la lluvia les mojara la cara mientras miraban el cielo negro y aterciopelado, lleno de estrellas, sin entender de dónde caía el agua.

Daniel recordó el poema en el que estaba pensando cuando volvía de la comisaría con Wanda: "*El recuerdo nos mantenía salvajes y amantes...*". Ahora, de golpe, sabía de dónde venía. Era una distorsión de un poema de Dylan Thomas: "*El tiempo me mantenía verde y moribundo, aunque cantara encadenado como el mar...*".

–¿Por dónde andás? –preguntó Luigi.

–Estoy acá –respondió Daniel, preguntándose cómo podía ser que estuviera lloviendo justo en ese lugarcito, encima de esa casa. Alrededor todo parecía estar seco.

–Este lugar es medio siniestro, hasta el olor acá es distinto.

Estuvo de acuerdo. La lluvia tenía una mezcla de olores peculiares, había un penetrante aroma a cítricos.

Olinda entró sin anunciarse. Los demás la siguieron.

Adentro, había unos pocos muebles; apenas una silla y una mesita en un rincón. Un arco, con una cortina de mostacillas, daba a
otra habitación. De cuclillas, en el suelo cubierto por esterillas, estaba Don Severino. A diferencia de todas las demás casuchas de la
favela, que tenían electricidad robada de los faros de las calles de
Santa Teresa, ésta estaba iluminada con velas, creando una atmósfera cálida, hospitalaria.

–Recibí su mensaje –dijo Don Severino–. La estaba esperando.
¿Quién es la persona afectada?

Se paró. Era bajito y fornido, vestido de blanco, con un par de
pantalones de algodón y una camisa desabotonada. Tenía las mejillas levemente hundidas y se le notaba más cuando pitaba el cigarro
que sostenía entre los dientes. Su pelo era largo y gris, con rulos que
se le encrespaban como un peluquín gastado.

Wanda dio un paso al frente. Daniel sintió el impulso de darle la
mano y acompañarla pero se ubicó junto a Olinda y Luigi en uno de
los rincones de la habitación. Se sentaron en el suelo. En medio del
más profundo silencio, Luigi se inclinó hacia él y le dijo al oído:

–¿Te conté que mi viejo era tuerto?

Trató de encontrar la cara de Luigi en la penumbra.

–¿Por qué me salís con eso ahora? –tuvo que hacer un esfuerzo
supremo por reprimir la carcajada.

–Vos me contaste lo de tus primos. Bueno, ahora yo te cuento lo
de mi viejo –explicó Luigi.

Olinda les rogó que se callaran. Don Severino estaba listo para
dar comienzo a la ceremonia. "¡Tano bruto!", pensó Daniel.

Don Severino le pidió a Wanda que se sacara los zapatos y se sentara en el piso frente a él. Un círculo de luz iluminaba el espacio que
separaba a Wanda del *pai de santo*. El anciano le dio un papel y una
lapicera y le pidió que escribiera su nombre y su fecha de nacimiento.
Sacó unos caracoles cauri de tamaños parejos, cortados en la base, y
los colocó a su lado en el piso. Empezó a rezar distintas plegarias: primero, a *Oxalá*, el Dios de Dioses, el Creador. El *pai* le explicó a Wanda
que, a pesar de las plegarias, a ese dios no le iban a pedir nada:

–Él es el mejor de todas nuestras divinidades pero está ocupado
con cosas muy importantes y a veces está cansado. No lo vamos a
molestar, solamente vamos a invocar su bendición.

A ese rezo le siguieron otros más: primero, le rezaron a los muertos; después, a varios *orixás*, los dioses de la religión yoruba. Según ya les había explicado Olinda, todo el mundo tenía que tener su propio *orixá*, encargado de cuidar el espíritu de la persona y de protegerla del mal. Cada *pai de santo* identificaba individualmente cuál *orixá* le tocaba a cada persona. Don Severino tomó los caracoles, rezó otra plegaria en yoruba y los sopló. Después, le dijo a Wanda:

–Ahora te toca a vos. Así es como se cargan de *axé*. Sólo entonces nos van a ayudar.

Wanda hizo lo que le decía: sopló sobre los *búzios* para despertar sus poderes. Hacía rato que se le había pasado a Daniel la tentación de risa; al igual que Olinda y Luigi, seguía cada detalle del proceso con atención. El *pai* arrojó los caracoles en el piso. Los contó: eran dieciséis. Once habían caído con las aberturas hacia arriba.

–Esto significa: "Juntar agua con una canasta" –murmuró Don Severino y después quedó sumido en un profundo silencio.

Incluso sin mirarla, Daniel sentía que la expresión de Olinda había cambiado: se le había ensombrecido la cara. Por fin, el *pai* volvió a hablar con Wanda:

–¿Sabías que tu padre murió?

Lo preguntó con un tono tan casual que casi se les pasó por alto.

–No te preocupes, hija –continuó el *pai*–. Enseguida se dio cuenta de que había elegido un mal momento para morir. No podría irse sin arreglar las cosas entre ustedes dos, así que se despertó al poco tiempo de morir y decidió volver a la vida. Te está esperando sentado bajo un árbol, en tu casa. Es un árbol del cielo, un ailanto. Tenés que encontrar la manera de resolver las diferencias con tu gente: tu padre te perdonó y sé también que no hay revancha en tu corazón. Quedate tranquila: *Oiá* y *Exú* te protegen.

¡Exú! ¿Había dicho Exú? ¡Ése era el dios de la fertilidad de Eugenio! El enorme falo de madera que su pobre amigo loco estaba tallando antes de que lo mataran era para *Exú*. Luigi también había registrado el nombre.

–*Oiá*, la diosa de las tormentas y los vendavales, la poseedora de todos los lugares donde se entierran muertos, está en las puertas de los cementerios. Como es una de las esposas de *Xangó*, el único dios con poder sobre los muertos, ella le negó a tu padre el derecho de entrar en su tumba y lo obligó a levantarse. Deberías estarle especialmente agradecida.

Don Severino hablaba lenta y claramente.

–Tenés que acordarte: le gustan las berenjenas, los chivos y las gallinas; va a agradecer tus ofrendas.

Sonaba a pedido de regalos. Los dioses podían llegar a ser muy codiciosos. ¿Y por qué no? Después de todo, era mejor que pidieran regalos y no dinero.

–En cuanto a *Exú*, es bastante travieso por naturaleza y aquí anduvo haciendo de las suyas, jugando un poco con sus poderes. Es generoso y compasivo pero de algún modo te hizo trampa. No podría decirte de qué manera. No se puede decir si *Exú* es justo o no, pero puede cambiar el destino de las personas. Hay algo que puedo decirte: una muerte te está siguiendo.

El silencio de los otros presentes se hizo aun más profundo. Don Severino continuó:

–Tenés que llevarte bien con *Exú*, le gusta comer de todo. ¡Y come mucho! Cordero y pollo; palomas, gorriones y verderoles; lechones y gallinas multicolores; guayaba y chirimoya. Y si de verdad querés ganar sus favores, ofrecele mucha *cachaça* y *caruru*. Eso lo hace muy feliz. Se pone a bailar, a hacer locuras y es en ese estado cuando concede todo lo que le pidas. Quizás también tengas que ofrendarle una misa en la iglesia.

Luigi y Daniel habían probado el *caruru*: era el plato que había preparado Fulvio esa memorable primera noche con los travestis, cuando Luigi se había calentado con Sócrates. *Exú* no era ningún tonto, sabía elegir su comida. El anciano sabio había adivinado bien lo de la pelea de Wanda con el padre y su separación, ¿pero serían auténticas las percepciones de Don Severino?

Cuando volvieron, Joacaría los saludó con un gorjeo amistoso.

–¿Ven? ¡Está sonriendo! –exclamó Luigi.

Daniel también pensó que el pájaro había sonreído cuando entraron. Estaba de buen humor y saltaba de uno a otro, parloteando, subiendo y bajando la cabeza, contento de verlos.

–¿Cuáles son las buenas noticias, amigo? –le preguntó Daniel al papagayo.

Olinda y Luigi se sentaron juntos en el sofá del living; Daniel, en el piso, recostado contra la biblioteca; Wanda, estirada en la alfombra, con la cabeza apoyada en sus rodillas. Estaba ensimismada y triste. Daniel le pasó la mano por la cabeza.

–El *pai* dijo que te seguía una muerte –dijo Olinda, mirando a Wanda–. ¿Tenés idea de lo que quiso decir? ¿Hay alguien más en tu familia, además de tu papá, que sea viejo o que pueda llegar a estar enfermo? –Wanda negó con la cabeza; pensaba que no, o al menos, que no sabía.

–A lo mejor, después de todo, era tu padre –sugirió Luigi–. Por suerte decidió volver, así que no hay de qué preocuparse –trataba de sonar optimista pero no resultó convincente. Don Severino había sido muy preciso al señalar que se estaba refiriendo a otra muerte, a una tragedia por venir.

Después de tanta ceremonia, permanecían en las tinieblas: seguían sin saber qué le pasaba a Wanda. Daniel odiaba la idea de que estuviera enferma. Se negaba a considerar las pesadillas de Wanda como malos augurios, como signos de futuras tragedias; no creía fácilmente en esas cosas pero, sin embargo, seguía preocupado.

En un sueño, Wanda había visto velas flotando sobre el campo que rodeaba su casa. Ella misma flotaba sobre el suelo, esforzándose inútilmente por hacer pie. Le daba pánico ver que las llamas eran azules, algo que según Wanda significaba que la muerte anunciada era la de un niño. Si pudiera tocar el suelo, ese niño se salvaría. Pero por mucho que se retorciera, se doblara y se estirara hacia abajo, seguía suspendida en el aire.

En otro, veía a su madre en medio de una fila de colmenas. (En la realidad, el padre de Wanda tenía colmenas en un campo cercano a su casa.) Su madre le daba tres golpecitos suaves a cada panal con una cuchara de madera y les contaba a las abejas que su marido se había ido a hacer un viaje muy largo. Wanda veía que su madre tenía puesta una cinta negra en la cabeza. La casa de sus padres, lejana en el horizonte, estaba cubierta con sábanas negras que flotaban en el viento.

Y había otra pesadilla que particularmente la había conmovido e impresionado: un chico estaba durmiendo en una cama de madera sin colchón. Estaba quieto y parecía tranquilo. La paz de la escena se quebraba cuando alguien le sacaba de un tirón la almohada de debajo de la cabeza. Daniel no pudo olvidarse de esa imagen. Wanda había sentido que alcanzaba a oír el golpe de la cabeza del chico contra una superficie dura.

–Puede que esté embarazada.

Las palabras de Wanda apenas se oyeron en medio del ruido ensordecedor de las ranas y los grillos de la selva. Pasaron unos segundos hasta que pudieron reaccionar a su anuncio.

–Yo no quería ni acordarme, pero se los tengo que decir: tuve una falta. Es una posibilidad, nada más. Perdónenme. Me siento tan mal.

Olinda fue la primera en reaccionar. Sonrió y le dijo a Wanda:

–¡Mi Dios, mujer! ¡Qué tonta fui! ¿Pero dónde tenía la cabeza todo este tiempo? ¿Cómo no se me ocurrió antes? –se levantó, se acercó a Wanda, le tomó la cabeza entre sus manos y la besó en ambas mejillas–. ¡Nuestra Señora de Bonfim! Entonces no es la muerte sino la vida lo que estamos celebrando.

Olinda volvió donde estaba Luigi y le tendió la mano:

–Vamos.

Luigi la miró, después miró de reojo a Wanda y Daniel.

–Sí, vamos.

Dijeron 'buenas noches' y se fueron a su dormitorio. Así de rápido. Increíble.

"¡Qué bien!", pensó Daniel, "lindo momento para irse a coger". El deseo tenía caminos misteriosos. Tardó en reaccionar, sin poder dejar de pensar en los sueños de Wanda. ¿Y ahora qué? Se sentía perdido: ¿era él el padre de la criatura? La habitación le parecía vacía, como si de golpe se hubiera vuelto enorme. La noche era fresca y llegaba ahora poco ruido por la ventana; las ranas y los grillos habían terminado con lo suyo. Wanda se cubrió con la manta que Olinda había colocado a modo de funda sobre el sofá sucio y desvencijado.

–¿Cómo fue?

–¿Qué?

–Que quedaste embarazada.

–¿Querés que te cuente lo de la semillita?

–Vos sabés lo que te estoy preguntando –Daniel se sentía un idiota–. Lo que quiero decir es si estás segura.

–¿De qué?

–De que estás embarazada.

–No, claro que no estoy segura. Mañana me hago el análisis.

–Todo esto es tan raro. ¿Cómo a nadie se le ocurrió antes? En muchos sentidos, es tan evidente.

–Vos una vez me dijiste que lo evidente es lo más difícil de ver.

–¿Y si llegás a estar embarazada?

Wanda alzó la cabeza y lo miró de frente. Sonreía, pero con ojos tristes.

–Bueno, significa que el padre sos vos.

Daniel pensó: "¿Qué diría mi viejo si supiera?" ¿Qué otras boludeces se le podrían ocurrir en este momento?

–Tendrías que estar orgulloso de ser fértil –la generosidad de Wanda lo hacía sentirse avergonzado.

–Estoy orgulloso, pero...

–¿Qué?

–No sé si las circunstancias lo justifican.

–No seas tonto –exclamó Wanda–. Yo ya sabía que era fértil, ¿te acordás? Ahora te tocaba a vos.

–Me estás haciendo sentir bien por algo que yo te hice a vos.

–¿Qué te crees que *me* hiciste?

–Te preñé.

–¿Y? ¿Qué tiene de malo?

No podía explicarlo.

Cuando por fin recibieron el llamado del médico, Daniel estaba solo en la casa, duchándose. El teléfono estuvo sonando un rato largo. Salió del baño a los tumbos, todavía mojado y con el champú chorreándole la cara.

–¿Sí? ¡Hola!.

–¿Puedo hablar con la señorita Ribeiro, por favor? –la voz femenina sonaba formal y eficiente. Le sorprendió tanto oír el apellido de Wanda que estuvo a punto de decir: "equivocado".

–¿Quién habla? –no estaba con ganas de ser amable.

–Llamo del consultorio del doctor Da Costa. ¿Podría decirle a la señorita Ribeiro que por favor nos llame? Tenemos los resultados de su test de embarazo.

La enfermera se dio cuenta de inmediato que había cometido un error, no tendría que haber dicho de qué se trataba.

–Habla Daniel, el marido, ¿me puede dar el resultado, por favor?

Bueno, ahora sí que la había completado. Si su intención era convencerla, no había elegido una buena táctica. Al cabo de una pausa, la oyó decir:

–No sabía que la *señorita* Ribeiro estaba casada.

–No, perdón, en realidad soy el novio. Yo sólo quería saber porque, como usted se imaginará, éste es un momento difícil para nosotros.

Patético, intentando conmoverla. La mujer no respondió, había vuelto a su rol de enfermera competente; casi podía escucharla pensar, sopesar las circunstancias.

–No te dio mucho resultado, ¿no?

Ahí estaba otra vez: la voz que venía del cielo, sólo que esta vez Doña Teresina estaba sentada justo detrás de él, en medio del sofá. Tenía puesto un vestido de organdí blanco todo arrugado y amarillento. Quizás se lo había hecho años atrás para desfilar en una *escola do samba* en carnaval. A través de la muselina se adivinaba la flacura extrema de su cuerpo envejecido. En la falda, tenía un plato cubierto por papel madera. ¿Cómo no la había visto entrar? ¿Y cómo había hecho para meterse en la casa? ¿Por qué estaba engalanada con ese atuendo ridículo?

–¿Qué hace acá?

–¿Qué quiere decir? –dijo la enfermera en el teléfono.

–No, no, discúlpeme. No se lo decía a usted –trató de que se le ocurriera algo rápido–. ¿Le podría preguntar al doctor Da Costa si está autorizada para darme el resultado por teléfono? Es importante.

–Voy a ver qué puedo hacer –ni pizca de simpatía.

¿Por qué querría el destino que siempre le tocara andar desnudo delante de esta vieja loca? Miró a su alrededor en busca de algo para taparse. Tomó el repasador que estaba sobre la silla, al lado del teléfono. Tenía estampada la estatua del Cristo Redentor sobre el Corcovado y decía en letras grandes: *Cidade Maravilhosa*. Lo sostuvo con una mano sobre su vientre y lo dejó caer para que le cubriera los genitales.

"Esta película ya la vi", pensó.

–Tenés un lindo culo –dijo Doña Teresina–: redondo, dulce, atractivo; no todos los hombres tienen un culo lindo.

No supo qué responder. Doña Teresina era todo un personaje. Si bien él sentía cierta simpatía romántica por los locos, le daban un poco de miedo. Una cosa era leer a André Breton y enamorarse de Nadja a la distancia; otra muy distinta era estar solo y desnudo con una anciana vestida de nena, perdida en camino a la iglesia para tomar su primera comunión. Era poco probable, pero ¿y si llevaba un cuchillo escondido debajo del papel madera?

–El viejo tiene un culo enorme, no muy lindo –siguió Doña Teresina. Daniel seguía esperando a que volviera la enfermera–. Pero yo igual lo quiero, me ha hecho muy feliz en mi vida.

Pobre Doña Teresina.

–No me crees, ¿no? –lo dijo con una mirada que, por una décima de segundo, Daniel creyó que le estaba tomando el pelo. A lo mejor, después de todo, no estaba tan loca.

–Sí, claro que le creo –Daniel no mentía.

–Le traje unos budines a Olinda, son sus preferidos. Al viejo le gustaban mucho.

¡Ahora hablaba en pasado! Estaba reconociendo la muerte de su marido.

–Aunque la comida preferida del viejo son las serpientes fritas.

Y dale otra vez con el viejo.

–No te sorprendas. La carne de serpiente es deliciosa: blanca y limpia, como la de una virgen.

La cosa ahora se estaba poniendo poética. "¿Dónde se metió la enfermera de mierda?", pensó.

–No importa si son venenosas o no, siempre hay que sacarles la cabeza para cocinarlas. Al viejo le encanta verme pelarlas y cortar la carne. La mejor manera de cocinarlas es pasarlas primero por jugo de naranja y limón sazonado con pimienta y nuez moscada. Se las deja unas horas y después yo las paso por huevo y pan rallado y las frío en manteca. El viejo se vuelve loco.

Sí, al lado de la vieja, seguro que se volvió irremediablemente loco.

Parecía que habían pasado siglos y la enfermera todavía no volvía al teléfono. Por primera vez, Daniel notó que, en un rincón, escondido detrás de las pequeñas palmeras que Olinda tenía en jarrones pintados de colores, estaba Joacaría. El papagayo tenía un aire sospechoso y circunspecto. Se le ocurrió que a lo mejor estaba así por el tema de conversación. Hacía poco había visto en un restaurante un cartel que ofrecía *papagaio recheado*. "No te preocupes", le dijo mentalmente a Joacaría, "sos demasiado viejo para que te rellenen y te coman, debés ser más duro que una alpargata mojada".

–No se habla mucho de eso, pero a las mujeres les encantan los culos de los hombres –Doña Teresina no se daba por vencida–. Todo empieza con la piel. No por el color ni la textura sino por el olor: hay hombres con olor a pan, a algas, a lavanda, a fuego, a mono o a rayo de luna. Después de la piel, vienen los ojos, "las ventanas del alma", como decía mamá. En tercer lugar, viene la forma del culo. Tenés que saberlo: tu culo es inspirador.

–Mire, Doña Teresina, yo le agradezco su interés, pero en este momento nos están pasando muchas cosas, ¿sabe? La vida está un poco complicada y además, me está dando frío –Daniel había suavizado su tono. Al cabo de una pausa, decidió hacerse el duro de nuevo–: Y no me hace mucha gracia estar hablando de mi culo.

–¿Perdón? –dijo el doctor Da Costa, que estaba ahora en línea.

–Ah, doctor, discúlpeme, estaba hablando con mi vecina –se apresuró a decir, dándose cuenta de que cuantas menos explicaciones diera, mejor–. Me llamo Daniel Goldstein, soy el novio de la señorita Ribeiro. Yo estoy al tanto del test de embarazo. En realidad, yo soy, quiero decir, yo podría llegar a ser el padre del bebé.

–¿Qué bebé? –preguntó el médico.

–Ah. Pero entonces no está embarazada.

–Yo no dije eso.

–Bueno, o está embarazada o no está embarazada, una de dos.

–Puede ser, pero no veo ninguna razón para que yo le dé información alguna sobre una de mis pacientes.

–Salvo que da la casualidad de que yo soy el novio de su paciente y en una de ésas puedo llegar a sentir un poquito de curiosidad por saber si ella está o no está embarazada.

–Tengo entendido que usted le mintió a mi enfermera, haciéndose pasar por el marido de la señorita Ribeiro.

–Es cierto –Daniel estaba muerto de frío y el champú le estaba destrozando los ojos; tuvo que rendirse, era inútil–. Le pido mil disculpas. Le voy a decir a Wanda que lo llame en cuanto llegue –dijo, tratando de recuperar cierta dignidad. Y antes de cortar, agregó–: Lo lamento, una vez más.

Mientras tanto, Doña Teresina había sacado un par de toallones del armario. Los sacudió para abrirlos y se los puso a Daniel sobre los hombros. Se sentía empequeñecido y quebrado. Cuando iba caminando por el pasillo para vestirse, se dio vuelta para decirle algo, pero Doña Teresina ya no estaba ahí. Volvió sobre sus pasos y corrió a la puerta de entrada. Seguía cerrada con llave del lado de adentro.

5

¿Quién dijo que la juventud es una época feliz?

Incluso cuando Daniel se sentía en la cima del mundo, cuando estaba con Wanda y nada parecía amenazar su felicidad, cuando acababa de escribir un buen poema, incluso en esos raros momentos, sentía una angustia, una *Angst* –palabra que le había enseñado Luigi y que traducían por "causticidad existencial". Esa *Angst* invadía todo lo que hacía. No es que pensara que el mundo o la vida no tenían sentido; ese sentimiento ya se le había pasado hacía tiempo. Tampoco tenía ideas suicidas ni fantasías violentas sobre revoluciones imposibles. Era más bien una *saudade* implacable y persistente; una dolorosa mezcla de nostalgia, pena y añoranza, un anhelo que jamás se llegaría a cumplir. *Saudade*, otra palabra que jamás podría traducirse.

De todos modos, ese día inolvidable se levantó con un dolor más específico: había tenido un sueño en el que una persona, colgando como un abrigo pesado entre el resto de la ropa en el ropero, de repente se caía al suelo. Parecido a una de las pesadillas de Wanda. Se despertó en un grito, pensando: "Alguien se acaba de morir". Sintió una punzada en el pecho y por un instante creyó que sufría un infarto. Pero sabía que eso no era cierto. Se quedó un largo rato en la cama, pensando en el aborto programado para esa tarde. ¿Sería esa la inspiración para el sueño?

También se acordó de Damián, de su última carta. Su amigo no era una persona que se fuera a deprimir con facilidad. Cuando eran chicos, se reunía con Damián y otros pibes de la barra a la salida de la escuela para jugar al fútbol en la calle Gurruchaga; era un jugador talentoso; tenía humor, gambeteaba y la pasaba bien, jamás se peleaba. Todos lo admiraban. Se transformó en verdadera estrella cuando, por ser mayor que los demás, fue el primero que pudo eyacular. Un día lluvioso de otoño, se sentaron a su alrededor en un semicírculo, junto a la puerta abierta del ascensor en el edificio de departamentos en el que vivía. Entonces, demostró cómo se producía ese líquido viscoso y cremoso que saltaba al piso y que quedaría allí pegoteado hasta que lo limpiara el encargado.

Damián y Daniel habían tomado rumbos diferentes. Su amigo se había hecho taxista, lo que le permitió ganar un salario y dedicarse a ser cantante rockero. Eso no duró mucho. Damián era ambicioso; recomenzó sus estudios y se recibió de profesor de la secundaria. También se casó, tuvo dos hijos y trabajó largas horas para mantener a su familia. De día, daba clases en una escuela privada y a la noche, clases particulares. Su verdadera ambición era ser escritor. ¿Qué iba a ser de él ahora? Las cosas andaban muy mal en la Argentina. Aunque fuera miembro del Partido Comunista, Damián no se había metido en política hasta ese momento, nunca corrió peligro alguno; pero ahora sus cartas anunciaban otra historia.

Después del shock inicial, Wanda había aceptado su embarazo como un acto natural. Sus malestares habían desaparecido. Al mismo tiempo, había tomado con calma la decisión de abortar. No se había discutido el tema. A Daniel le dolía que Wanda no lo hubiera consultado; la cosa estaba completamente fuera de su control. Por cierto, no quería tener un bebé, pero de todos modos no le gustaba sentirse ignorado. Se sentía excluido de Wanda y de su cuerpo, expulsado del paraíso. Por mucho que él hubiera querido poseerla al hacerle el amor, era un deseo inútil. Ni Wanda ni el bebé le pertenecían.

Esa mañana, Wanda se había levantado temprano y había preparado un picnic. La noche anterior había sugerido que fueran a almorzar temprano al Parque Nacional Tijuca.

–Voy a preparar un picnic para nosotros dos y después, me llevás al médico. No queda lejos del Tijuca, es en Leblon. Es un médico muy reconocido, ¿sabés?

Leblon, cerca de Ipanema, era un barrio bacán en el sur de Río. Daniel dudaba que el Tijuca estuviera tan cerca; Wanda no era famosa por su sentido de la orientación. Por lo menos el aborto se lo iba a hacer un profesional –aunque se ganara la vida haciendo operaciones ilegales. Estaba seguro de que esto iba a costar caro.

Wanda insistió en que llamaran a un taxi.

–Hoy quiero estar relajada –explicó–, no me quiero cansar.

–Yo invito con el taxi.

Estaba agradecido de que el dinero nunca había sido motivo de conflictos entre los cuatro. Cada uno había sido generoso con lo poco que tenía. Daniel no hubiese podido pagar por el aborto; no tenía el dinero para hacerlo. Y aunque lo hubiese tenido, Wanda nunca hubiera aceptado ni siquiera una modesta contribución.

Ella había puesto toda la comida en una canasta y la había cubierto con un repasador azul brillante.

–No nos olvidemos del vino –le dijo a Daniel–. Traje el mejor que encontré.

Se ducharon juntos, algo que siempre la hacía feliz. Después, mientras ella preparaba un bolsito de cuero con una muda de ropa, Daniel sacó la botella de la heladera y la puso en la canasta. Wanda había traído un vino blanco italiano, *Frascati*. Era la primera vez en su vida que iba a probar un vino europeo. Estaba confundido: era un aborto y, sin embargo, ella lo estaba transformando en una celebración.

El Parque Tijuca era más hermoso de lo que se hubiera podido imaginar: una selva tropical que había sobrevivido el explosivo crecimiento de la ciudad, con árboles magníficos, arroyos claros e innumerables cascadas. Wanda le pidió al taxista que los llevara hasta la entrada del Alto da Boa Vista, donde podrían elegir un lugar para su picnic.

–Tenemos suerte –le dijo Wanda–. Los fines de semana, esto está lleno de gente. ¿Qué te parecieron las ofrendas al lado del camino?

Las había visto: botellas de *cachaça*, pilas de cigarros, racimos de flores de todos los colores, platos de madera repletos de choclos blancos, cientos de espejitos, velas, gargantillas, frascos de miel.

–¿Qué son?

–*Candomblé* –dijo Wanda sin mayores explicaciones.

Candomblé, Macumba, Babassué, Xangó, Batuque, Tambor, Pará: diferentes nombres para una misma religión africana. Daniel sugirió que a fin de año fueran a la playa a rendirle homenaje a *Iemanjá*, la diosa del mar, la reina madre de las aguas toda vestida de blanco, la que disfrutaba de los buenos perfumes y las joyas finas.

Eligieron un lugar cercano a una cascada. Al marco idílico sólo lo estropeaban los mosquitos, que parecían tener una predilección especial por la sangre argentina. Desplegaron una manta en el suelo, todavía húmedo por el rocío de la mañana, y sacaron los alimentos de la canasta. No había nadie alrededor.

Wanda había preparado un festín: en las primeras horas del día, había hervido y refrigerado unos langostinos, sellándolos en bolsas de plástico llenas de hielo. Daniel distribuyó el jamón y los salames en una bandeja de cartón decorada mientras ella preparaba una salsa de ajíes verdes picantes, desmenuzados y mezclados con jugo de lima-limón en un mortero improvisado con una taza y una cuchara. Daniel abrió la botella de vino; le ofreció a Wanda pero ella no aceptó.

–Yo no tendría que tomar ni comer nada. Quizás me den anestesia, así que tengo que ir con el estómago vacío. Todo esto es para vos.

Se sintió avergonzado: toda esa comida y ese vino sólo para él. Wanda le insistió:

–Quiero que disfrutes esto, en serio.

–Nunca vi langostinos tan grandes.

–En Brasil, todo es mejor y más grande, ya tendrías que saberlo; el tipo que me vendió los langostinos me dijo que los atrapan cuando hay luna llena, que es el tiempo de los enamorados.

Wanda, romántica incorregible, pensando en lunas llenas.

–¿Tenés miedo?

–Para nada, va a ser nada más que un raspaje –contestó Wanda, y de inmediato–: ¿No te pasa a veces que te suena música en la cabeza?

–No, la verdad que no.

–A mí, sí, bastante seguido. A veces oigo un piano que toca una pieza celestial. No sé dónde la habré oído, seguro que la saqué de la televisión. Por supuesto, la mayoría de las veces hoy en día, oigo a Brassens.

–¡Otra vez ese hijo de puta!

–¿A que no me cantás un tango? Contra el francés, dijiste que no podías competir. Ésta es tu oportunidad.

Tomó un poco de vino, se puso de pie, miró a su alrededor para asegurarse de que no había nadie, agarró un micrófono imaginario y se puso a cantar:

> *Percanta que me amuraste*
> *en lo mejor de mi vida,*
> *dejándome el alma herida*
> *y espinas en el corazón...*

Nunca le había cantado un tango a una mujer, ni siquiera a Lola, a quien le gustaban tanto. Al principio, Wanda se reía, pero después se quedó mirándolo con admiración, como si fuera un cantante de verdad.

–Es *Mi noche triste*, uno de los tangos de más éxito en la Argentina: un ejemplo perfecto de kitsch, la cumbre de la estupidez de la creatividad pretenciosa, de la autocompasión más patética.

Wanda lo interrumpió:

–¿Qué es kitsch?

–Simplemente mal gusto, supongo.

–Pero lo cantás con pasión y amor.

–Estoy actuando.

–¡Mentiroso! Yo sé que no es así.

Wanda tenía razón: a pesar de su desprecio por esas letras, el tango lo conmovía. No podía evitarlo:

> *Cuando voy a mi cotorro*
> *lo veo desarreglado,*
> *solo triste, abandonado,*
> *me dan ganas de llorar...*

–Es un tango que hizo famoso Gardel. Hasta me acuerdo la fecha en que lo cantó por primera vez: 1917, en el Teatro Esmeralda, que después se llamó Maipo.

–¿Cómo sabés tanto sobre Gardel?

–Gardel murió un veinticuatro de junio, en un avión que se estrelló en Medellín. Me lo pasaba esperando esa fecha con entusiasmo: el martes de esa semana, mi mamá compraba la revista *Antena*, y el viernes, *Radiolandia*, que siempre traían algún artículo sobre él. Los leía con avidez. Decían algunos que Carlitos había sobrevivido el accidente y que vivía escondido en las selvas colombianas; no se quería dejar ver porque tenía la cara quemada y era muy vanidoso. El sábado, me pasaba la tarde mirando tres películas de Gardel en el Coliseo Palermo, un cine cerca de mi casa.

–¿Eran buenas?

–¿Las películas? ¡No! Eran atroces. ¡Es increíble! Me acuerdo de la fecha de la muerte de Gardel y, en cambio, no puedo acordarme del cumpleaños de mis viejos, o del Día de la Independencia.

Wanda le pidió que se sentara a su lado. Le llenó el vaso de vino.

Esos ojos negros no podían resistirse. Después de todo, Doña Teresina no tenía razón: los ojos eran más importantes que el aroma de la piel. Cuando se habían conocido, lo primero que había visto en ella eran los ojos.

–¿Sabés una cosa?

–¿Qué?

–Vos me hacés crecer.

Ninguna mujer le había dicho algo con tanto amor. Era el más extraño de los piropos.

–Vos también me hacés crecer, Wanda, un montón.

–Al principio, yo no podía creer que pudieras querer a una puta de Lapa.

–No hables así, yo no podía creer que vos quisieras a un poeta pendejo y perdido que no podía ofrecerte mucha protección.

–Todos ustedes me dieron vuestra amistad, eso es algo que nadie había hecho antes. Vos y Olinda y Luigi me cambiaron la vida –a Wanda se le llenaban los ojos de lágrimas, pero se contuvo. Después cambió de tono y dijo–: ¡Basta de telenovela! ¿A qué no sabés qué tengo acá?

Wanda sacó algo de su bolso de cuero. Era una tarjeta; tenía un dibujo en uno de los lados.

–¡Parece un sorete! –exclamó Daniel.

Wanda le dio una trompada suave en el hombro.

–Es un *éclair* de chocolate. Me lo mandó el loco francés.

–¿Qué fue de ese personaje?

–Se fue de Río, le pidieron que volviera a Francia. Me dibujó el *éclair* en memoria de los buenos momentos que pasamos juntos.

–¿Vos pensás que un día va a matar a su mujer infiel? –Daniel estaba listo para inventar una historia trágica.

–Ojalá –dijo Wanda, siguiéndole la corriente. Pero enseguida, exclamó–: Mirá qué más tengo en mi bolso.

Sacó un preservativo, abrió el paquete y lo infló. Wanda se levantó y se puso a jugar con el globo, tratando de no dejarlo caer al suelo. Daniel se sumó al juego, recordando la noche en que se habían conocido. Irónico, el jugar con un forro.

–Si se te cae, sos un tarado.

Corrieron riéndose y gritando hasta que el globo cayó sobre un arbusto espinoso y se reventó. Quedó colgando de la punta de una rama, en medio de unas flores amarillas. Wanda tomó a Daniel de la mano y se fue corriendo hacia los árboles. Se detuvo en un claro y se dio vuelta para besarlo. Se abrazaron y se dejaron caer al suelo, fresco y húmedo; los árboles que los rodeaban eran densos y no dejaban que se filtrara el sol del mediodía. Wanda prefirió que él tomara la iniciativa. Fueron tiernos y apasionados. Daniel, consciente de la inmediata visita al médico, se apartó justo a tiempo. Se quedaron en el suelo, entrelazados, ocultos del resto del mundo.

–Quería de todo corazón que esto fuera una fiesta –le dijo Wanda al oído–, para compensar lo horrible que fue mi primer aborto. Entonces, me sentí tan asqueada, tan humillada, me sentía sucia. Lo único que merecía eran castigos, que me trataran como la mierda, como lo había hecho mi padre. Pero ahora no me siento así, me siento querida y libre; es una celebración de la vida, no de la muerte.

Volvieron caminando hasta la entrada del *Alto da Boa Vista* y de ahí tomaron un ómnibus que los llevó hasta el Jardín Botánico. A medida que bajaban el morro, sintieron el cambio de temperatura: un calor tangible les envolvía la cara. Después, se metieron en un taxi que los llevó directo a Leblon.

Wanda conocía un hotel chico pero acogedor; podrían tomar algo en el bar; Daniel la esperaría ahí mientras ella se lavaba y se cambiaba la ropa en el baño. Daniel pidió un *chopp* de Brahma y se sentó en la barra. Escribió en una servilleta de papel:

El fuego de los días ha comenzado a subir
y nada podrá detenerlo.
Elijo un lugar en la tormenta,
una ofrenda para sus retos,
vientos de alta mar para su cuerpo abierto al heroísmo...

Pidió enseguida otra cerveza.

Tiene derecho a cantar los blues,
a decir desde el comienzo
algo inadecuado a las circunstancias...

–¿Qué estás escribiendo? –preguntó Wanda. Lo abrazó desde atrás, apretándose contra su espalda. ¿Sería cierto que a las mujeres les interesaba el culo de los hombres?

–Una lista de las compras que precisamos hacer –mintió Daniel mientras se apresuraba a doblar el papel y se lo guardaba en el bolsillo del jean–. ¿Vas a tomar algo? ¿O es hora de irnos?

–No, mejor nos vamos.

Daniel llamó al mozo. Como no aparecía, dejó el dinero en la barra, terminó la cerveza y siguió a Wanda. Ella ya estaba en la entrada principal del hotel, esperándolo con la puerta abierta: radiante, como siempre después de hacer el amor.

–Estás hermosa. Y tenés ropa nueva.

–Ah, te diste cuenta. Eso me pone contenta.

Tenía puesta una blusa blanca, con bordados, escotada y un par de pantalones verdes, muy elegantes. Sin corpiño. Se había sujetado el pelo con un pañuelo de seda, con motivos abstractos.

–¿Un día me vas a escribir un poema?

–No, nunca, no podría hacerte justicia, pero un día voy a hacer una película sobre vos, la llamaremos *Garota de Lapa*.

–No me suena muy bien. *Menina de Manaus* sería mejor.

–Muy bien, trato hecho –y después, le preguntó–: Si uno quiere decir "chica", ¿cuál es la diferencia entre *garota* y *menina*?

Se encogió de hombros. Quizás no había ninguna diferencia.

–¿Te acordás de lo que me dijo el *paí*?

–¿Cuál de todas las cosas?

–Eso de que mi papá me está esperando en el patio de mi casa.

–Sí –claro que se acordaba. Esto ya se lo veía venir.

–Me gustaría ir a ver a mi papá. Si no, no se va a poder morir –se quedó pensando y agregó–: Es injusto. A lo mejor, ya está cansado de vivir. ¿Hasta cuándo me va a seguir esperando?

Daniel asintió.

–Quiero que vengas conmigo. Así vas a conocer a Pirata, nuestro gallo tuerto, el que mi mamá echó a perder con sus mimos.

–Wanda, se me ocurre que hay muchas otras razones para ir con vos a ver a tu familia. Pero estoy seguro de que me va a encantar conocer a Pirata.

–Podemos invitar también a Olinda y a Luigi.

–Sí, por supuesto.

–Y a Joacaría.

–Seguro.

Llegaron finalmente al edificio, típicamente lujoso y de estilo: entrada de mármol blanco y espejos grandes por todos lados. Un jardín interno y una fuente con una pequeña cascada le daban al lugar un aura de irrealidad. El portero portugués, que estaba en la puerta con una gamuza en la mano, simulaba estar ocupado mientras los estudiaba de reojo. Lo saludaron.

La gente que vivía en esos edificios no hubiera podido sobrevivir sin los porteros. A la mañana, limpiaban, pulían los pisos y regaban los jardines. Todo el mundo dependía de ellos para cambiar el cuerito de una canilla o arreglar el lavarropas descompuesto. Pasada la siesta de la tarde, cambiaban de status. Incluso algunos se vestían con uniforme de conserje. Parados en la entrada principal como perros guardianes, parecían oficiales prusianos encargados de pasar revista a la tropa en un desfile de gala, llenos de botones plateados y brillantes. Pero su principal tarea consistía en acumular chismes interesantes; no sólo parecían saber lo que pasaba en su propio edificio de departamentos, sino todo lo que había que saber sobre la gente que vivía en el barrio.

Entraron en el ascensor y subieron al quinto piso. En teoría, los médicos no podían tener sus consultorios en edificios residenciales, pero en general, los vecinos hacían la vista gorda: tener un médico en la casa daba prestigio, aunque se dedicara a hacer abortos.

La puerta de madera lustrada del ascensor daba directamente a la recepción. El color blanco dominaba todo: las paredes, la alfombra mullida y lujosa, el escritorio, la biblioteca y los sillones tapizados de cuero. "Un mundo sin niños", pensó Daniel.

Wanda se dirigió a la recepcionista, sentada detrás del escritorio, también vestida de blanco. Se identificó y la mujer estiró los labios en lo que pretendió ser una sonrisa, más falsa imposible.

–El doctor la está esperando –dijo.

Se levantó y condujo a Wanda hacia unas puertas de vidrio. A Daniel lo ignoró por completo. Detrás de las puertas, había otra sala, que daba a unas cuantas habitaciones. Parecía una clínica, más que los consultorios de un solo médico. Obviamente, el abortero era un capo. La ilegalidad daba sus frutos.

Wanda le pidió que le deseara buena suerte y desapareció tras las puertas de vidrio. Daniel se sentó en uno de los sillones; escogió de la mesa ratona de vidrio frente a él un par de revistas: publicaciones llena de gente atractiva y feliz, casas lujosas, autos brillantes y veloces, jardines exuberantes. Leyó ambos ejemplares, sintiéndose extraño, fuera de lugar; después, se debió quedar dormido porque lo despertó de golpe el sonido de una puerta que se abría. Wanda reapareció. ¿Cuánto tiempo había pasado? No tenía la menor noción. ¿Unos minutos? ¿Un par de horas? Le sorprendió verla entrar igual que antes, elegante, compuesta, pero su cara estaba seria, la sonrisa se le había ido de sus labios. Y sus ojos estaban enrojecidos.

Wanda se encaminó al escritorio con decisión. Sacó un paquetito de la cartera. Era dinero, envuelto en un pañuelo. No era *simplemente* dinero: eran dólares. Daniel nunca había visto tantos juntos. Wanda contó algunos bajo la mirada atenta de la mujer, quien los guardó discretamente y sin revisarlos en una caja de metal que tenía dentro de un cajón del escritorio. El arreglo perfecto del mercado negro: un cirujano de renombre que hacía operaciones ilegales pagadas en dólares. Se sintió tentado de pedirle un recibo firmado.

Cuando se iban, Daniel descubrió el crucifijo labrado en madera negra, justo detrás del escritorio de la recepcionista; junto a él, había un cuadro pequeño en tinta celeste, con motivos del Nordeste. ¡Era una de las primeras pinturas de Olinda Morais! La burguesía tramposa, consumiendo el arte revolucionario.

Al abrir la puerta del ascensor, se dio vuelta y le dijo a la recepcionista:

–Tenga cuidado. A lo mejor, le cae la policía. ¿Usted sabe que tiene un cuadro comunista colgado en la pared?

La recepcionista había sido eficiente: un taxi los estaba esperando en la puerta. Al estar pendiente de Wanda (cuidándola, asegurándose de que estuviera cómoda) Daniel no se había dado cuenta de quién era el taxista. Pero en cuanto el hombre empezó a hablar, su acento era inconfundible: de todos los taxistas de una ciudad en la que vivían millones de personas, les tenía que tocar el lunático sirio que ahorraba electricidad manejando con las luces apagadas de noche.

–¿A ustedes qué les gusta más para comer en Navidad? ¿Pavo o ganso? En mi familia, durante mucho tiempo se comió ganso, por tradición; pero recientemente, en los últimos festejos, comimos pavo. ¿Para ustedes, qué es mejor?

Wanda le siguió la corriente:

–En casa, nunca comimos ganso –le explicó a Abdullah–. Mamá compraba el pavo vivo en el mercado y lo traía a casa para engordarlo. Cuando estaba listo, tenía el tamaño de un ternero.

–¿En serio? –El taxista estaba entusiasmado con la idea de un ternero con plumas.

–Cuando el pájaro estaba listo para ser degollado, era el turno de mi padre –continuó Wanda. Daniel trató de imaginarse a Anselmo, el padre de Wanda, con un cuchillo de carnicero en sus manos. Tenía curiosidad de conocerlo–. Convocaba al resto de la familia, a sus amigos y vecinos, y delante de todos ellos lo forzaba al pobre animal a beber una botella de *cachaça*.

–¿En serio?

El hombre cruzaba los semáforos en rojo, pasaba de un carril a otro sin dar señales y se daba vuelta todo el tiempo para mirarlos. Mientras Daniel se ponía cada vez más ansioso, Wanda parecía contenta conversando con el loco.

–¿No se moría el pobre pájaro con tanto alcohol adentro? –preguntó ingenuamente Daniel.

–¡Justamente ése era el objetivo! –dijo el Sabio de Aleppo. Abdullah era un nombre demasiado musulmán. Si era cristiano, Omar le quedaría mejor.

–El pavo se mamaba hasta quedar completamente chiflado –aseguró Wanda–. Se moría de felicidad; sin duda, debe ser una muerte muy agradable. Y además, ¡jamás vas a probar una carne más tierna!

Llegaron a Santa Teresa mucho más rápido de lo esperado. Cuando frenó y se acercó al cordón, Omar preguntó:

–¿A qué se dedican ustedes? –era la misma pregunta que le había hecho a Luigi y a Daniel aquella primera vez. Obviamente, no lo había reconocido.

–Yo soy puta y él, poeta.

–¡Una puta y un poeta! ¡Qué combinación más romántica! –gritó Omar por la ventanilla mientras le daba el vuelto a Daniel. Después, mientras aceleraba, los saludó con complicidad–. ¡Les deseo que sigan juntos y felices muchos años! ¡Su primer hijo va a ser Presidente de la República!

–¡Qué tipo simpático! –exclamó Wanda. Daniel se había quedado con ganas de darle una trompada. Wanda lo adivinó, porque de repente se detuvo, lo abrazó y le dijo–: No te enojes. Sos un tipo muy celoso, ¿sabés? Se supone que soy libre de hablar con otros hombres.

No pensaba que fueran celos, aunque parecieran:

–Ya que estabas, ¿por qué no le pediste que te recitara unos poemas en árabe también? Es muy bueno. Lo escuché un día en que lo tomamos con Luigi.

–No seas tonto, *meu cachorrinho*, no había razón para que él supiera lo que nos pasa, ni de dónde veníamos.

Pero había sido la gota que rebalsó el vaso. Daniel se sorprendió: estaba llorando en medio de la vereda, incapaz de controlarse. "Su primer hijo va a ser Presidente". La reputa madre que lo remilparió. Se sintió vulnerable y expuesto, un chico viviendo en un mundo que no llegaba a entender. Al mismo tiempo, estaba furioso consigo mismo por sentirse así. Quería ser un verdadero hombre, capaz de proteger a una mujer, hacerla sentir bien, quererla, cuidarla. Lamentaba el aborto, el haberla expuesto a ese dolor.

–Te quiero –le decía Wanda–. Te necesito, sos mi oso, mi tigre, mi león.

La combinación de puta y poeta era muy romántica, pero ¿cuánto podía durar? Daniel siempre se había imaginado que iba a terminar un día viviendo con una mujer en una casita junto al mar, lejos de todo, escribiendo y saliendo a caminar con su perro por la playa. Quizás sería mejor para Wanda terminar con un loco como el taxista de Aleppo.

Ella se apretó contra él y Daniel se fue recuperando. Al llegar, Joacaría les dedicó una danza como saludo. Era un placer verlo saltar con su pata de palo, bailando al ritmo de una samba que sólo él podía escuchar. Olinda y Luigi los esperaban en la cocina. De regreso a casa.

Después de la cena, se quedaron en el patio, disfrutando de la calidez de la noche. Si bien durante el día hacía calor, en cuanto se ponía el sol, el aire era agradable y sensual. Acostarse a dormir era una pérdida de tiempo.

Mientras esperaban su regreso, Olinda y Luigi habían sacado la mesa afuera, decorándola con flores y velas. El viejo candelabro de Hanukkah en un extremo de la mesa iluminaba ahora los restos de comida. Luigi había aprendido a armar porros largos y finos; producían un humo agradable y fresco. La luz de las velas les teñía los brazos y las caras de un bronce oscuro. Wanda no quiso fumar; Daniel, aunque tentado, tampoco aceptó la oferta.

Olinda retiró los platos y los llevó a la cocina. Por lo general, todos compartían esa tarea, pero esta vez dejaron que Olinda los cuidara.

–¿Salió bien? –preguntó Luigi al cabo de un rato.

–Sí, sí. Todo anduvo bien.

Silencio prolongado. Mejor así.

–Tengo algo que contarles, Olinda se enteró de algo jodido hoy –anunció Luigi.

–¿Qué?

–Esta mañana vino a verla su *marchand*. El tipo tiene un amante que trabaja en la oficina de prensa del gobierno. No sabemos cómo, pero la cosa es que dice haber visto el nombre de Olinda en una lista negra. La mayoría eran artistas e intelectuales de izquierda pero también había hasta futbolistas y boxeadores. Es ridículo pero da miedo –Luigi sonaba sombrío.

–¿Qué va a hacer? No se puede quedar acá.

¿Sería confiable la información del amante del *marchand*?

–Creo que tiene pensado irse a la casa de sus padres, a *Bom Jesus de Lapa*; quiere pasar un tiempo allá. Su *marchand* piensa que es más seguro estar lejos de las grandes ciudades; hoy en día Olinda no les da mucha pelota a sus camaradas del Partido pero ellos parecen estar de acuerdo, lo mejor sería irse.

–¡Qué quilombo de mierda! –después, pensando en la invitación que Wanda le había hecho a la mañana, Daniel agregó–: Podemos también ir todos a la casa de los padres de Wanda.

–No va a funcionar –dijo Luigi–. Olinda quiere estar con su hijo. Ya hace mucho que no lo ve. No sé si ir con ella, o no.

Los militares del Brasil, al igual que sus colegas argentinos, se creían los nuevos mesías, destinados a salvar al continente de las fuerzas del mal y de la corrupción moral. Mientras tanto, la sensación de caos se estaba profundizando, el desempleo aumentaba y la inflación estaba fuera de control. Las transacciones comerciales se hacían en dólares, y siempre en efectivo. El abortero no era el único.

–Está empezando a pasar lo mismo en otros lados: en la Argentina, en Chile, en Uruguay. ¿Cómo se explica? ¿Será que el sol es demasiado fuerte en esta parte del hemisferio? ¿Comemos demasiada carne?

–Nos podríamos rajar a Europa y dejar que Sudamérica se hunda en el olvido. Nadie la va a extrañar.

Esa clase de cinismo no los iba a ayudar. Mientras tanto, Olinda llegó con una bandeja; en ella, había una cafetera, tazas, platos y tortas.

–¿Quieren postre?

–Necesitamos algo dulce –dijo Luigi.

Olinda se sentó al lado de Wanda, reconfortándola con un abrazo; Luigi cortó las tortas. Daniel se ocupó de servir el café; como siempre, estaba dulce, fuerte, espeso.

–A ver qué les parecen estas tortas: ésa con merengue y polvo de almendras se llama *amor em pedaços*. Las masitas son *sonhos* –explicó Olinda–. Las encontramos en la cocina, seguro que Doña Teresina las trajo ayer mientras no estábamos.

Daniel se negó a contarles lo que sabía. No estaba dispuesto a confesarles la experiencia del día anterior, cuando la vieja había aparecido y desaparecido. Además, no quería contarles la preocupación de Doña Teresina por su culo.

–Olés a pan.

Estaban los dos en la cama; a ella le gustaba recostar su cabeza sobre su hombro, abrazándolo como a un oso.

–Una vez me leíste la mano –continuó Wanda–. ¿Harías otra cosa por mí?

–¿Cómo qué?

–Me dijiste que los poetas consultan el *I-Ching*.

Las cosas que uno dice.

–Por favor, quiero saber mi futuro.

–Bueno, mañana sacaremos el libro de una biblioteca o lo compramos, te lo prometo –él no estaba muy seguro de querer saber su propio destino. El aborto, las noticias sobre Olinda y el deseo de Wanda de ver a su padre lo habían sacudido.

–¿Cómo te sentís?

–Bien, pero estoy un poco dolorida –admitió Wanda.

–Te admiro, sos muy valiente.

–Contame: en tu casa, ¿comían ganso o pavo para Navidad?

Por lo visto, la presencia siria no los iba a abandonar.

–No celebrábamos la Navidad pero, no obstante, hacíamos una comida, para no sentirnos excluidos. Pero eso sí, yo recibía regalos para Reyes.

Todavía recordaba algunos: un tambor de hojalata, una pelota de fútbol No. 5 de cuero, "El Estanciero", un disfraz de pirata. Esperaba más la llegada de los Reyes Magos que la de su propio cumpleaños.

–Comíamos pollo.

–¿Tu mamá también engordaba el pollo?

Wanda no tenía la menor idea de dónde y cómo había vivido en su infancia.

–Vivíamos en un departamentito chico, en el fondo, atrás del negocio de mi viejo. Mis padres dormían en una habitación con mis hermanitas. Mi abuela y yo, en el comedor. La cocina era minúscula, sólo entraba una persona por vez. No quedaba mucho espacio para pollos.

Si en su infancia había existido la tristeza, no fue por la escasez de dinero, ni la ausencia de un coche, ni la falta de espacio en su casa. Incluso no tener un televisor para ver *El show de Lucy* o *La Patrulla del camino* no había sido tan terrible.

–¿Qué vendía tu papá en el negocio? ¿Golosinas y chocolates?

–Arreglaba y restauraba pianos usados.

–Ah, entonces seguro que vos tocabas el piano cuando eras chico –dijo Wanda con entusiasmo, alzando la cabeza de la almohada.

–Mi primera profesora de piano era una vieja bruja que me hacía llorar todas las clases por no haber practicado. Con las mejores intenciones, mi mamá contrató a otra profesora, pero tampoco funcionó. A partir de ese momento, tuve una serie de chicas atractivas que me volvían loco con sus perfumes y sus blusas entreabiertas. Pero eso no es todo. Quizás me lo estaba imaginando pero estaba convencido de que mi papá se estaba cogiendo, una tras otra, a todas mis profesoras.

En un instante, la risa de Wanda fue reemplazada por el llanto.

–¿Por qué llorás?

–Porque sos mi amigo.

–Vos también sos mi amiga, Wanda.

–Nunca nos vamos a decir "adiós", sólo "hasta pronto" está permitido entre nosotros –después, ella le reclamó–: Como evidentemente hoy no me vas a cantar otro tango y la lectura del *I-Ching* tendrá que ser postergada, tengo otro pedido: recitame un poema.

Daniel era incapaz de recordar un poema entero de memoria, sólo fragmentos –excepto por el último poema de Robert Desnos. Se lo habían encontrado escrito en un papelito en la ropa que llevaba puesta al morir. Le contó a Wanda que Desnos había formado parte de la Resistencia y que, cuando los alemanes ocuparon Francia, lo capturaron y lo enviaron a Büchenwald. Murió de tifus y desnutrición poco después que los Aliados lo liberaran.

–¡Qué historia! –dijo Wanda–. ¿Qué es Büchenwald?

–Un lugar horrible, Wanda. Otro día te cuento.

–Está bien. Ahora recitame el poema.

Daniel se incorporó, arregló las almohadas y se recostó contra la pared. Wanda se estiró contra sus piernas y lo abrazó de la cintura.

–Se lo dedicó a su mujer, que se llamaba Youki.

Tanto soñé contigo
Caminé tanto, hablé tanto
Tanto amé tu sombra
Que ya nada me queda de ti.
Sólo me resta ser una sombra entre las sombras
Ser cien veces más sombra que la sombra
Ser la sombra que volverá y volverá siempre
En tu vida, llena de sol.

Wanda se dio vuelta y apoyó la espalda contra el pecho de Daniel. Le pidió que la abrazara, que le acariciara los pechos y la besara en el cuello. Le preguntó:

–¿Algún día, tendrías un hijo conmigo?

–¡Por supuesto!

–Yo quiero cinco –dijo ella.

Parte III

1

Daniel, querido amigo,

Te estoy escribiendo esta nota apresurada una tarde de sol en La Giralda, uno de los pocos bares que nos han quedado intactos en la memoria del presente. Pienso mucho en vos, quizás con un poco de envidia, te confieso. Las cosas, de pronto, se han puesto mal para mí. Ya te explicaré, pero no es muy complicado. Todo se debe a mi actividad sindical; ser comunista no es fácil. Tengo todo arreglado para que Laura y los chicos se vayan de la Argentina. Mañana a la noche van a cruzar en ferry a Montevideo y de ahí, se van en avión a España. Tenemos amigos en Sitges, que los van a estar esperando en Barcelona. Yo me voy a reunir con ellos dentro de poco. Esta carta te la mando por medio de un profesor francés que está acá por un intercambio y se vuelve a Avignon. Él te la va a mandar por correo desde el aeropuerto de San Pablo. Con este tipo nos hicimos muy amigos; la última vez que nos reunimos en su casa, me "inició" en el vino francés; el que probé se llama Châteauneuf-du-Pape. Estaba très bon. Me dio esperanzas: si hay vinos como ése en otros lugares del planeta, no necesitamos vivir y morir en Buenos Aires. En las últimas semanas, Laura y yo dormimos separados, todas las noches en un domicilio distinto. A los chicos los dejamos en Quilmes, con mi suegra. No podemos quedarnos acá. En fin, tengo pensado pasar por Río camino a Europa. Si podés, escribime (a la dirección de mamá) así sé dónde encontrarte. Me va a hacer bien escuchar tu voz, ajena a todo esto. Ya no me siento culpable por querer irme. No tengo berretín de héroe. Un abrazo y hasta pronto. Chau.

Damián

2

Llovía. Como tantas otras mañanas, Olinda y Luigi se habían levantado temprano y seguramente habían salido a caminar. Olinda decía que la luz de la mañana la inspiraba para pintar. Si hubiera podido elegir, Luigi habría preferido quedarse un rato más en la cama, como Wanda y Daniel, y hacer fiaca en casa. Pero siempre acompañaba a Olinda en esas excursiones; además, él también se sentía inspirado durante esas caminatas. De regreso, él se concentraba en su novela; Olinda, en su pintura.

En uno de esos largos paseos Luigi había encontrado, en un negocio de antigüedades y de libros usados, una lámina en tamaño natural de un papagayo muy parecido a Joacaría. Por las notas que acompañaban el dibujo, supieron que el nombre científico de Joacaría era *Deropytus accipitrinus accipitrinus* (Linnaeus, 1758), más conocido por el nombre vulgar de *Anacá* o papagayo rojo. Vivían en bandadas reducidas, o en parejas durante la época de crianza, en la margen superior del Río Negro. Se los encontraba en una zona muy amplia, que abarcaba Colombia, Ecuador, Perú, Venezuela y las Guayanas.

–Yo le detecto un leve acento colombiano –había dicho Luigi pero nadie le hizo caso–. Está bien, digan lo que quieran; ustedes siempre se las saben todas. Pero hay algo que es innegable: de todos los keas, cacatúas, lorias, pericos, periquitos australianos, cotorras rizadas, maracanás, cacatúas de cabeza amarilla, loros amazónicos y guacamayos que se puedan encontrar en los trópicos, Joacaría es el más sorprendente ejemplar de su raza lorística.

–Eso no está en discusión –respondió Olinda–. De lo que estás hablando es de acentos.

–Tiene que haber un vínculo muy fuerte entre la belleza incomparable de este pájaro y su acento colombiano –insistió Luigi pero no lograba convencerlos con su teoría–. El problema es que ninguno de ustedes cree que Joacaría habla de verdad, que sabe lo que está diciendo. ¿Acaso creen que sería tan cariñoso si no supiera hablar? Si yo un día desapareciera, él se moriría de soledad.

–A mí no me preocupa tanto el amor que te tiene Joacaría a vos –dijo Olinda–, sino tu propio metejón con él. ¡Si por lo menos fuera hembra!

El mismo Luigi probablemente compartía esa preocupación con Olinda: había enmarcado la lámina del papagayo y la había puesto cerca de donde se posaba Joacaría, con la esperanza de que el pájaro se enamorara de la imagen impresa de su hermana. ¿O era hermano? Resultó ser un ejercicio inútil. Lo que quería Joacaría era contacto humano: abrazos y besos y rasguños mutuos, no estar sometido a un acto de forzada admiración de su propia imagen.

Pero esta mañana lluviosa, mientras Olinda y Luigi estaban en una de sus caminatas, a Daniel lo despertaron unos golpes en la puerta de entrada. El ruido ensordecedor retumbó por toda la casa. Alguien se desgañitaba gritando que le abrieran la puerta. Le llevó siglos despertarse: soñaba que estaba en un parque; no, se parecía más a un jardín francés, un ejemplo perfecto del paisajismo ornamental que rodeaba a un gran castillo blanco, una mansión abandonada con las persianas cerradas, los estanques vacíos, las terrazas sucias. ¿Sería de *El año pasado en Marienbad*? Cruzó por un invernadero repleto de plantas; alguien se escondía detrás de las palmeras que había en un rincón. Un llamado insistente lo urgía a correr hasta el final del sendero. ¿Lo lograría? Fue entonces cuando oyó los gritos y los golpes en la puerta, y se despertó.

¿Qué hora sería? Se sentó y buscó a tientas su reloj en el piso. Lo miró sin entender siquiera algo tan simple como que el reloj estaba al revés; fue un esfuerzo pensar que lo tenía que dar vuelta.

–Ya va, ya va –susurró con pereza. Se dio vuelta y miró a Wanda, que dormía profundamente con la cabeza enterrada en la almohada, desconectada de los ruidos del mundo–. Felices sueños, Wanda –dijo sonriéndose. Se levantó y empezó a recorrer el pasillo largo que llevaba a la puerta, todavía con la mente en *Marienbad*, recitando los versos de Antonio Machado:

> *Caminante, no hay camino*
> *Se hace camino al andar...*

–¿Para qué carajo sirve la poesía? –preguntó en voz alta. No tuvo la oportunidad de contestar a su duda existencial. En cuanto abrió la puerta, recibió un golpe en el medio de la cara. Diez toneladas de cemento le aterrizaron en los dientes. Todavía podía escuchar al árbitro contar los segundos: "Uno, dos, tres,...". No, no se iba a levantar; esta gloria no le pertenecería; el ganador se podía llevar toda la plata del premio, ya no le importaba.

En una época se había entrenado en un gimnasio cercano al Luna Park, un lugar lleno de jóvenes aspirantes a boxeadores que soñaban con ganar el título del mundo en el Madison Square Garden. No había durado mucho: ni siquiera pudo aprender a saltar bien a la cuerda, así que ni hablar de esquivar los *jabs*, ganchos y trompadas que se le venían encima.

¿Cuántas veces más iba a empezar a contar de nuevo el referí?

Sentado en el piso, contempló los pedacitos blancos que tenía en la mano: dos triángulos duros, fragmentos de dientes. El impacto lo había hecho sangrar; cuando sintió la lengua tibia y el gusto de su propia sangre, no le quedaron dudas sobre quién había sido el dueño de esos dientes.

–¿Qué mierda te crees que estás haciendo? –dijo el hombre que estaba en la puerta–. Conmigo no se jode. ¿Vos sabés quién soy yo?

–No tengo el *guzzzto* –articuló a duras penas. Estaba descubriendo para qué servían los dientes de adelante. ¿Iba a hablar así el resto de su vida? Desde donde estaba, en el piso, el hombre se veía enorme, un carnicero descomunal, uno de esos campeones que ganaban las peleas por pura obstinación brutal.

–¿Qué mirás? ¿Todavía me seguís jodiendo? Argentino hijo de puta, ¿crees que podés venir y robarme lo que es mío así como así? ¿Quién te crees que sos, mierdoso?

Era un mulato engominado, un Elvis Presley con rulitos aplastados. Se habría pasado horas alisándose las motas. Daniel no podía creer que le hubiera bajado los dientes de esa forma; la cabeza le retumbaba por el golpe; le costaba pensar.

–Esa puta está tratando de engañarme. Eso no es bueno en los negocios. Me llevó semanas encontrarla. Y yo no me jugué el pellejo para proteger a Wanda de los policías hijos de puta para que ahora esa puta de mierda se crea que puede mandarse a mudar. Todavía tiene que rendirme guita. Se acabó la joda. Así que no te me metas en el medio, ¿entendiste?

–¿Qué *querézzz* de mí? –preguntó Daniel. Era evidente que Olinda y Luigi iban a tardar en llegar, y a Joacaría no se lo veía por ningún lado. Lo único que esperaba era que Wanda no se despertara. "A lo mejor, puedo aplastarle el cráneo hueco con algo duro", pensó.

–Sí, yo te voy a decir lo que quiero de vos –dijo el engominado–. Yo soy un tipo razonable. A mí no me importa que te la cojas ni que vivas con ella. Se ve que acá están bien y ella necesita amor y afecto y yo no se los puedo dar, así que...

Muy conmovedor. tenía ganas de arrancarle los sesos a esa rata de mierda. En ese momento, algo pasó volando por encima de su cabeza y golpeó al monstruo en el brazo izquierdo. Silencio total por unos segundos. Después, la bestia herida explotó: gritaba y aullaba; sus alaridos se convirtieron en un ladrido horripilante que helaba la sangre. Un pequeño cuchillo de cocina, el mismo que habían usado para pelar naranjas en la cama la noche anterior, se había clavado en los bíceps impresionantes del hombre.

–Te lo podría haber clavado en el corazón, hijo de puta –gritó una Wanda feroz y homicida–. Esto fue una advertencia. La próxima vez, te juro por Dios que te mato. Lo prometo ante Jesús y *Exú*.

Una doble promesa difícil de ignorar.

El cafishio se quedó mirando el cuchillo clavado en su brazo, sin poder creer lo que le había pasado; no sabía qué hacer. No paraba de gritar: "¡Puta! ¡Puta!". Dejó caer la manopla que tenía en la mano y sacó un pañuelo del bolsillo trasero para parar la sangre que le chorreaba por el brazo. A Daniel le sorprendió ver que el tipo sangraba poco. Estaba desilusionado; le deseaba al cafishio el mayor sufrimiento posible. Le causaba cierta satisfacción pensar en el momento en que se sacara el cuchillo, en el filo dentado aserrándole la carne.

A pesar de su furia, Wanda parecía estar muy controlada. Dio un paso adelante y le tiró algo más al hombre, que giró, gritando un "¡Nooooo!" desesperado.

–Con esto estamos a mano. No te debo nada. Se acabó –declaró Wanda. Era el resto de los dólares con los que había pagado al abortero. El fajo de billetes golpeó al cafishio en el pecho y cayó al suelo. El tipo se agachó para levantarlo y se lo guardó en el bolsillo.

–Éste no es el final de la historia, puta de mierda.

–Que se te grabe en esa cabeza llena de polvo de ladrillos: si te llegás a acercar a mí otra vez, te mato. No quiero volver a verte –contestó Wanda a los gritos.

El cafishio abrió la puerta y salió de la casa despacio, sin mirar atrás.

Wanda se puso a limpiar la sangre del piso con una esponja, un balde con agua y detergente.

—¡Tengo que limpiar esto! Yo soy responsable y lo voy a limpiar —no dejaba de repetir con bronca cada vez que Daniel se ofrecía a ayudarla.

Al principio, no entendía la reacción de Wanda. En cuanto se fue el cafishio, él había corrido hacia ella; quiso abrazarla, pero ella se había apartado bruscamente de él para ir a buscar el balde con agua.

—¿Y ahora qué va a pasar? —preguntó. No sabía bien cómo hablarle ni qué decirle. Wanda seguía apartándolo.

—¡No sé! —gritó ella— ¡No sé! —Wanda repetía esas palabras con dolor y desesperación, mientras seguía fregando el lugar en donde habían caído las gotas de sangre del cafishio. Ahora, el piso ya estaba limpio. De a poco, esa friega se fue transformando en golpes de puño más y más contundentes contra el piso, mientras la voz se le iba quebrando en un llanto rabioso. Se arrodilló frente a ella y la tomó fuerte de las manos, levantándola.

—¡Basta, basta! —le gritó.

Wanda se soltó y empezó a golpearlo en el pecho. La humillación, la amargura, el odio profundo que ni ella misma sabía que sentía estallaron en una convulsión. Todos los atropellos que había sufrido y el resentimiento acumulado se apoderaron de su cuerpo y la hicieron temblar y llorar.

Por fin, triunfó la determinación de Daniel. La logró sostener fuerte contra su pecho, lo suficiente para contenerla. Wanda dejó de forcejear. Después, se calmó, cerró los ojos y, finalmente, se desvaneció en sus brazos. La alzó, tan pequeña, tan frágil. La acostó en el sofá y la cubrió con una manta liviana. Wanda abrió los ojos y lo miró; alcanzó a esbozar una sonrisa débil.

—¿Dónde aprendiste a tirar cuchillos? —preguntó en un susurro.

—Cuando era chica, mientras esperaba que mi padre volviera de sus viajes a la selva. Me pasaba las tardes lanzando cuchillos al árbol del fondo, matando a montones de enemigos imaginarios.

—Pues esas tardes han dado sus frutos —dijo él.

Después, Wanda murmuró algo incomprensible y se quedó dormida.

Joacaría reapareció de la nada al final del pasillo. Caminaba casi en puntillas, como si no quisiera despertar a Wanda, o quizás asustado todavía por la presencia del cafishio. Había estado escondido detrás de las toallas que había en los estantes cerca del baño, y ahora venía por el pasillo susurrando: "*tramontane, tramontane*".

–Sí, mi amigo, *tramontane* las pelotas.

La visita del rufián le había retorcido el cerebro como un tornado, no podía pensar más que en una cosa: "Tenemos que irnos a la mierda de acá". El cafishio iba a volver en cualquier momento y la próxima vez, no iba a venir solo. Quizás las cosas se pusieran todavía más pesadas y ése no era el tipo de juegos que ellos estaban dispuestos a jugar. Nada lo ataba a Río. Si Wanda quería ir a visitar a su familia, iba a acompañarla. También estaba seguro de que podía convencer a Olinda y a Luigi de que se reunieran con ellos después en Manaus.

Se sentó en una silla junto a la ventana, mirando dormir a Wanda. Se acordó de un par de líneas de un cuento: "*¿Quién habría de darme la medida de las cosas, sino tu muda presencia, tu cuerpo iluminado?*". Incluso en esas circunstancias, cuando pensamientos eróticos no cabían, sentía nostalgia por el cuerpo de Wanda. Todo parecía tan tranquilo, ella estaba dormida plácidamente, nadie podría haberse imaginado lo que había pasado unos minutos antes. Si bien esa trompada le había roto sólo los dientes, a Daniel le dolía todo el cuerpo, como si hubiera peleado quince rounds.

Joacaría, después de tomar agua de su bol, saltó sobre sus hombros; empezó a alisarle el pelo, que Daniel se estaba dejando crecer. La demostración de afecto era inusual: el papagayo era amable con todo el mundo pero hasta ese momento, esa clase de mimos habían estado reservados para Luigi. Sin duda, la pelea lo había afectado, necesitaba consuelo.

Contempló los dos fragmentos de dientes rotos y la manopla que había recogido del suelo y puesto sobre el escritorio. El papagayo suspendió de golpe su actividad y se puso tenso, agitado. Saltó del hombro de Daniel al escritorio y de ahí, a su plataforma. Por naturaleza, Joacaría dependía de sus dos patas para alimentarse. Cuando le amputaron una de ellas y se la reemplazaron por un palito de madera, Joacaría aprendió rápidamente que si levantaba la pata buena para sostener las nueces y los pedazos de banana, las hojas de lechuga y los granos de maíz, se caía; la pata de palo no le ofrecía suficiente estabilidad para mantenerse erguido mientras comía. Con el tiempo, fue mejorando su técnica, pero como se estaba poniendo muy flaco y era evidente que no estaba comiendo bien, Luigi había decidido construirle algo especial. Había hecho unos agujeritos en la plataforma en los que Joacaría podía colocar su pata de palo; así, mantenía su equilibrio y reservaba la pata buena para sostener la comida.

Joacaría parecía intranquilo. Daniel se alarmó cuando oyó ruidos fuera de la casa. Suponía que el cafishio iba a volver, pero ¿tan pronto? A lo mejor, tenía cómplices esperando afuera, en algún auto estacionado por ahí cerca. Le llevó un tiempo reconocer las voces de Olinda y Luigi. Se estaban acercando a la casa, discutiendo como de costumbre. Miró a Joacaría con alivio, pero el papagayo le esquivó la mirada.

–Tenés cara de culpable –dijo Daniel riendo. Y después, al levantarse, le susurró–: Nuestro encuentro no llegó a romance, ¿sabés? No tenés nada que ocultar.

En cuanto entraron Olinda y Luigi, Daniel les hizo señas de que no hicieran ruido; señaló a Wanda, que dormía en el sofá, y los reunió en la cocina. Procedió a contarles los acontecimientos de la mañana, sobre todo los detalles de cómo había penetrado el cuchillo en la carne de la bestia.

–¡Carajo! –fue el único comentario de Luigi–. Por eso había sangre en la vereda.

Wanda se asomó por la puerta como una aparición:

–Lo lamento –dijo–. Es todo culpa mía, siempre estoy creando problemas.

Olinda corrió hacia ella y la abrazó.

–No seas tonta, Wanda –la consoló–. Claro que no es tu culpa.

Se quedaron paradas en el medio de la cocina un rato largo, palmeándose la espalda. Luigi se retiró y fue a sentarse sobre la mesada, al lado de la pileta. Se quedó observándolas. Daniel se sentó a la mesa, prendió un cigarrillo y lo apagó de inmediato. Olinda y Wanda parecían flotar en el aire, sus figuras recortadas contra la luz del mediodía que se filtraba por la ventana de la cocina. Podrían haber sido amantes.

–¿Recaliento el café? –preguntó Luigi mientras bajaba de la mesada de un salto.

–¿No tendríamos que aceptar la propuesta que te hizo tu amiga española y mudarnos a su casa en el *Recreio dos Bandeirantes*? –preguntó Daniel a Olinda.

–Demasiado tarde –dijo Olinda–. Ella ya se fue del país, a Europa, ¿quién sabe por cuanto tiempo? Su propio hijo pasó a la clandestinidad; parece que se metió en un grupo trotskista en la Universidad Católica. ¿Por qué no nos vamos a Cuba? El Partido realmente me puede ayudar en eso. ¿Qué hacemos acá? Nos la pasamos diciendo que todo va de mal en peor, y sabemos que es cierto. Así que, ¿para qué nos vamos a quedar? Sólo tendría que recoger a David.

Más allá de su entusiasmo, se notaba que Olinda estaba aturdida. Si el amante de su *marchand* estaba en lo cierto y su información era confiable, su vida corría peligro. ¿Quién la iba a proteger? Sus amigos no tenían poder. ¿A quién recurrir? Sus camaradas estaban bien organizados, pero no confiaba en ellos. ¿A la policía? Ellos eran los que estaban detrás de las desapariciones y los asesinatos. Irse del país no era mala idea. Pero Cuba sonaba muy lejana. Unos meses atrás, Daniel se habría entusiasmado; ahora, la idea no le resultaba atractiva.

Olinda sirvió el café. Estaban todos callados. Tomó un libro de la mesa.

–Ojalá la vida fuera más simple –exclamó ella y, abriendo el libro, agregó–: Escuchen esto: *"Ay, querido, cómo deseo que puedas cumplir con tu promesa. Tener nuestro propio cuartito, nuestros propios muebles, nuestra biblioteca, trabajo tranquilo y estable; salir a caminar juntos; una ópera de cuando en cuando; un círculo reducido –muy reducido– de amigos íntimos a quienes podamos invitar a cenar cada tanto; irnos todos los veranos al campo por un mes."* No es mucho pedir, ¿no?

–¿De quién es? –preguntó Daniel.

–De Rosa Luxemburgo. Es una carta a Jogiches, su amante –explicó Olinda. El libro había sido un regalo de cumpleaños de su *marchand*. El Partido no lo hubiera aprobado.

–Yo necesito irme a casa –intervino Wanda–. Lo único que quiero es irme a casa.

Se quedaron en silencio. Hasta que los sobresaltó un golpe en la puerta. A lo mejor, esta vez era la policía, no el cafishio. ¡Qué elección! ¿El Gordo y el Flaco o el Engominado Tropical?

–No hay dos sin tres –dijo Luigi–. Primero, la policía; después, el cafishio. ¿Y ahora qué?

¿El aborto no contaba, acaso?

Fue Olinda la que reaccionó. Caminó hasta la puerta y los demás la siguieron ansiosos.

–¿Quién es? –gritó sin abrir.

–Telegrama, señorita –anunció la voz desde afuera–. De la Argentina.

Reconoció ese olor de inmediato. Cuando iba a la escuela primaria, su mamá le había hecho llevar una tabletita cuadrada de una sustancia cristalina junto a su pecho durante todo un año. La Peste había llegado incluso a su barrio: su mamá conocía a un chico que se había contagiado la enfermedad. En uno de los sermones dominicales, el cura sostuvo que era un castigo Divino por los pecados sexuales que sus fieles habían cometido. A Porota, la costurera solterona y devota que vivía a la vuelta de su casa, la encontraron muerta al día siguiente. Se había ahorcado, después de dejar un nota sobre su máquina de coser: "Perdón, Dios mío, he pecado con otra mujer".

Una historia verdadera, pero ni siquiera apta para un tango. Su muerte, por conmovedora que fuera para sus clientes y amigos, no pareció moverles un pelo a las autoridades del cielo: todas las semanas aparecían más casos de parálisis infantil.

Durante ese año, caminar las cinco cuadras que separaban su casa de la escuela se transformó en una pesadilla; tenía pánico de que la Peste se abalanzara sobre él en cualquier esquina. "¿Habría pecado?", se preguntaba frecuentemente, después de haberse enterado de lo del sermón. La Polio podía estar acechando detrás de cualquier árbol, bajo un auto estacionado, en el tranvía que pasaba por la esquina de la calle Gurruchaga. Alejarse de su casa implicaba un riesgo enorme; pasaba el menor tiempo posible en el patio de la escuela; evitaba acercarse a chicos desconocidos; sus propios amigos podrían ser contagiosos. La Polio viajaba rápido, no quería inhalarla. Ese verano, las piletas públicas también se convirtieron en territorio prohibido: los científicos habían comprobado que estaba tanto en el agua como en el aire.

Así que cuando su mamá le dio la tableta, su visión del mundo cambió: volvió a sentirse seguro. La aromática sustancia había sido puesta en una bolsita hecha de un material blanco, cosida por ella, y colgada al cuello con una cuerda. La Polio no tenía piedad, pero al

menos él poseía un arma poderosa para combatirla. Su mamá pro-
clamó:

—Esto va a mantener alejada a esa mierda.

Y por ahí iba Daniel, oliendo a farmacia y sintiéndose equivocadamente privilegiado. No sabía que los otros chicos llevaban también
una bolsita similar, igualmente inútil, bajo su camisa.

De cuando en cuando, había que reemplazar la tableta para que
no perdiera sus poderes mágicos. Según su abuela, también era un
buen remedio para las anginas y las hemorragias, para el insomnio y
la indigestión, para las hemorroides y los embarazos no deseados –la
única vez en su vida que la había escuchado hablar de algo relacio-
nado con el sexo. El alcanfor parecía amenazar la existencia de los
médicos. Se unía a las filas de otros tratamientos maravillosos, como
las ventosas que su mamá solía calentar para luego ponérselas a su
padre por las noches, o las barritas amarillas de azufre que ella ro-
daba por la espalda del resto de la familia. Daniel encontró una noche
un par de tabletas de alcanfor dentro de su almohada, puestas ahí
por su abuela para protegerlo de los malos pensamientos. Éstos no
cesaron, pero si su destino era morirse mientras dormía, iba a ser
una muerte fragante.

Ahora, al abrir el telegrama y leerlo, la nariz se le impregnó de ese
mismo aroma. Se sintió desconcertado, invadido por recuerdos de su
infancia. Durante algunos segundos, no supo dónde estaba; el aroma
era sobrecogedor; no podía decirles a sus amigos que la muerte estaba escondida ahí, acechando en algún lugar de esa casa. El telegrama era breve. Luigi lo tomó de sus manos y lo leyó en voz alta: "Papá-
infarto-llamá-urgente-colaciónese-Mamá".

—Llamemos a tu mamá –dijo Luigi.

Daniel estaba de acuerdo, pero no se podía mover. Miró a
Wanda, que estaba de pie a su lado; ella se acercó y le acarició la cabeza. Su presencia y el contacto de su mano hicieron desaparecer el
olor del alcanfor.

—Es un infarto, nada más –dijo Wanda–. Todavía no se murió,
mira a mi papá. La gente tiene siete vidas, igual que los gatos.

—O los papagayos –bromeó Daniel con tristeza.

Siempre había pensado que algunas cosas no le iban a pasar
nunca a él: inundaciones, terremotos, guerras. Ésas eran cosas que

pasaban en otros lados, lejos, en países remotos y a gentes ajenas. La muerte de uno de los padres, algo que sólo podía ocurrir una vez en la vida, o dos, a lo sumo, *eso* le pasaba a los demás, no a él. Además, Wanda tenía razón. Su papá todavía no había muerto.

Luigi tuvo suerte: le pidió a la operadora que los comunicara de inmediato con Buenos Aires. ¡Funcionó! Un pequeño milagro.

–Te oigo raro, ¿qué pasa? –preguntó su mamá, a modo de bienvenida.

Contó hasta diez. Podría haberle explicado: "Bueno, sí, lo que pasa es que me enamoré de una puta; es mulata y hermosa y tiene un cafishio que me arrancó la mitad de los dientes de adelante en una pelea; bueno, en realidad, ni siquiera fue una pelea, lo que pasó fue que mi mujer le clavó un cuchillo de cocina en los bíceps a la bestia, y ahora me vengo a enterar de lo de papá."

No, no iba a funcionar.

–¿Qué pasó? –alcanzó a preguntarle antes de que ella dijera algo más.

–¿Estás bien? –a ella no le iba a ganar.

–Sí –dijo Daniel con cierta impaciencia–. Contame lo que le pasó a papá.

–Estaba trabajando en Córdoba, en Río Cuarto, y de repente tuvo un infarto. Me llamaron por teléfono de la clínica a la que lo llevó Juan Carlos, que estaba viajando con él. Es una privada. ¿Cómo vamos a hacer para pagar?

–De algún modo ya nos vamos a arreglar –la tranquilizó. De verdad, ¿cómo iban a hacer para afrontar esos gastos?

–Está estable, según parece. A mí me gustaría que te vinieras, ¿podés? ¿O estás muy ocupado? ¿Cuándo podrías llegar?

–Tengo que averiguar cuándo hay vuelo.

–Y no te preocupes.

–Por favor, vieja.

Se hizo una pausa. Podía escuchar los segundos uno a uno en su cabeza.

–¿Cómo estás? –le preguntó por fin su madre. Esta vez lo preguntaba en serio.

–Bien, ¿y vos?

–Todos te extrañamos. Y yo, yo estoy asustada.

¿Qué significaba "colaciónese"? Esa palabra estaba en todos los telegramas; en vez de decir "telegrama", se decía directamente "un colacionado". Una vez lo había buscado en el diccionario: la definición no tenía sentido. "Colacionar" quería decir comparar o cotejar, colar o conferir un beneficio eclesiástico o el grado de una universidad. Siempre le había gustado su *Pequeño Larousse Ilustrado*, con sus banderas a todo color de todos los países del mundo en la contratapa, incluyendo también la bandera de los Juegos Olímpicos y la de las Naciones Unidas. Las preferidas incluían las de Malawi y Kenia, admiraba las del Líbano y Túnez, y pensaba que las de Polonia y Mónaco eran las más aburridas. La bandera alemana, por supuesto, le parecía la más agresiva y despreciable. Se pasaba horas hojeando las páginas rosadas del diccionario, tratando de aprenderse las expresiones en latín y en lenguas extranjeras. Esas páginas dividían el libro en dos partes bien diferenciadas: una era de *Lengua*; la otra, *Arte, Literatura, Ciencia*. Las páginas rosadas eran sus preferidas, ubicadas en el medio, una perfecta división de dos mundos diferentes. Al cabo de todos esos años, sólo recordaba dos expresiones: *Omnia mecum porto*; y *Le style c'est l'homme*.

Tenía que dejar el Brasil tan de golpe, tan prematuramente. Sentía que no estaba preparado para irse, dejar a Wanda sin saber cuándo la volvería a ver. La noticia acerca de su padre lo había dejado frío. Después del primer sacudón fuerte y del olor desorientador del alcanfor, tenía el cuerpo anestesiado y la mente atontada. Lo perturbaba un pensamiento: si bien no tenía una clara noción de lo que podía pasarle a una persona después de un infarto, prefería que su padre muriera a que sobreviviera y quedara inválido. De ese pensamiento insoportable saltó a otro igualmente horrible: "Si mi viejo se muere, voy a sentirme más libre". Se sintió un poco piantado. Sentado en el sofá, todavía preso del shock, murmuró:

–*Omnia mecum porto*.

–¿Qué? –preguntó Luigi.

–"Todo lo que poseo lo llevo conmigo". Palabras famosas, pronunciadas por Bías al dejar la ciudad de Priene.

–¿Y por qué la expresión está en latín si es de Grecia? –preguntó Luigi.

–¡Qué sé yo! Estaba en el *Pequeño Larousse Ilustrado*. Es todo lo que sé.

Luigi estaba sentado en el piso, con Joacaría posado en su hombro. Daniel había pensado que volvería a la Argentina solo y que Luigi se iba a quedar en Brasil con las dos mujeres y el papagayo; después, él se reuniría con ellos lo antes posible, donde fuera. Pero Luigi se mantuvo firme en su decisión: se volvía a la Argentina con él, sin discusión.

El gobierno militar argentino había cancelado las concesiones que permitían a los civiles viajar en aviones militares. Luigi había suplicado y hasta se había enojado por teléfono con la persona del consulado, pero en vano. La única posibilidad era viajar en ómnibus. La decisión de Luigi los había sorprendido a todos pero Daniel estaba obviamente aliviado y agradecido: odiaba la idea de hacer solo un viaje tan largo.

–Yo de chico leí el *Larousse* cuatro o cinco veces –anunció Luigi–. Sesenta mil definiciones, cinco mil ilustraciones en blanco y negro, cien mapas. Lo mejor era el logo del *Larousse*: una chica que sembraba semillas al viento, con las palabras *Je sème à tout vent* alrededor de su cabeza. Abajo del logo había una dirección, que yo me imaginaba que era la suya: *17, Rue du Montparnasse, Paris*. "Algún día, me voy para allá", pensaba.

En la cena estuvieron apagados aunque tensos. Olinda quemó el arroz y dejó los porotos negros a medio cocer. A nadie le importó mucho, la comida era lo que menos les preocupaba. Por primera vez en mucho tiempo, Joacaría estaba hablando consigo mismo en voz baja, casi inaudible, aparentemente ajeno a los que lo rodeaban. Luigi trató, sin mucho entusiasmo, de llamarle la atención, primero hablándole y, como eso no funcionaba, con una sesión de mimos. Joacaría no respondió. Estaba perdido en su propio mundo; prefería parlotear en su plataforma, junto a la ventana.

Daniel no sabía cómo volver a conectarse con Wanda. Él también estaba perdido en su mundo. La fantasía que habían compartido sólo unas horas atrás –la idea de reunirse en Manaus– se había derrumbado con la llegada del telegrama. Ahora, Daniel se iba y Luigi había ofrecido irse con él. Quizás Wanda pensaba que nunca se volverían a ver. ¿O era exactamente eso lo que él mismo temía? Estaba confundido por su reacción frente al telegrama: en serio, ¡había olido el alcanfor! ¿Cómo era posible que su cerebro lo hubiera engañado de ese modo? Había sido una alucinación. ¿Sería el resultado de consumir tanta marihuana? Habían estado fumando casi todos los días. ¿Se le estaría empezando a fundir el cerebro por efecto de la droga? Por otro lado, también estaba la carta de Damián; ahora, él se iba a rajar del país. De lejos, todo parecía un poco exagerado. Tenía que volver a ver a su padre y a ocuparse de su madre y de sus hermanas, de eso no cabía duda. Pero, ¿correría peligro en hacerlo?

–¿En qué estás pensando? –lo interrumpió Luigi.

–En olores –contestó. Olinda soltó una risita nerviosa; Wanda y Luigi lo miraron desconcertados. Explicó lo que le había pasado con el alcanfor. Luigi exclamó:

–¡Me había olvidado por completo! Tenés razón, todo el mundo andaba con eso.

–Y después me criticaban a mí por creer en la *macumba* –dijo Olinda.

–¿Qué será este balurdo del olfato y los olores? –continuó Luigi–. Cuando estaba en el seminario, tenía terror de que los curas reconocieran el olor de la esperma en mi mano después de masturbarme. Cuando ellos hablaban de "contaminación", yo no sabía de qué carajo hablaban, tardé en darme cuenta de que era el hacerse la paja –el peor de los pecados. Y el hecho de que todas las noches todos hacíamos temblar las camas en los dormitorios como si fueran trampolines no cambiaba mi visión del infierno inevitable. Ni siquiera le contaba a mi confesor mis enérgicas prácticas nocturnas. No había forma de escapar a mi destino; había comprado un pasaje sin retorno.

Luigi era imparable:

–Uno de los curas estaba loco de verdad: andaba por ahí oliendo a todos los seminaristas. Estaba convencido de que el semen que permanecía en el cuerpo podía echarse a perder, como un yogur que se pone agrio. Sugirió que se debía extraer ese semen a los jóvenes por medios artificiales para evitar que se envenenaran los cuerpos de esas pobres almas. Según él, se lo podría recolectar en un recipiente y almacenarlo en el sótano, para ser agregado a los fertilizantes del huerto. El problema era cómo hacer la recolección sin provocar placer. ¡Pobre Padre Bernardo! –se lamentó Luigi–. Al final, lo confinaron a una celda solitaria en la torre del monasterio; lo encerraron por el resto de sus días con una Biblia y una escupidera como única compañía.

»En esa época de la epidemia de polio –Luigi continuó–, mis viejos siguieron el consejo del médico: "Lleven al nene a la playa; el aire fuerte y salado lo va a proteger", dijo.

Y, sonriéndole a Olinda, declaró:

–Ahí tenés, otra boludez grande como una casa. Nos mudamos tres meses a Mar del Plata, fueron los meses más felices de mi vida. No por el aire de mar, claro. No ir a la escuela era lo que me hacía bien, ¡y jugar todo el tiempo en esas playas!

–Igual, ustedes no tienen playas. ¿Cómo te iba a hacer bien ese Atlántico Sur congelado? *Uma mesma merda, ¿entendeu?* –la pantera había salido de pronto de su cueva, lista para matar–. ¿Playas? ¿Querés playas? Te doy playas: *Pituba, Armaçao, Piatá, Placaford, Itapoã, Subaúma, Suipé, Palame, Barra de Itariri, Mangue Seco.* ¿Y las de San Salvador? *Arraial D'Ajuda, Pitinga, Mucugé, Taipe, Rio da Barra, Trancoso.* O quizás *Paixão, Tororão, Areia Preta, Cumuruxatiba.* Esas son playas para gente de verdad, para verdaderos hombres, no para maricones –¿qué había pasado? ¿Dónde había olido sangre caliente? Lista para arremeter contra su presa, continuó–: Te llevaría a *Alagoas* para mostrarte el paraíso, con el agua azul y el aire límpido y la gente que se quiere de verdad: *Pajuçara, Sete Coqueiros, Ponta Verde, Jatiúca, Jocarecica, Guaxuma, Carça Torta, Riacho Doce, Pratagi...*

Wanda escupía las palabras con la misma precisión con la que había arrojado el cuchillo. Su discurso se transformó en una clase apasionada y furiosa de geografía brasileña. Loca de rabia, su diatriba no tenía mayor sentido, pero todos entendían.

En ese instante, las compuertas se abrieron inesperadamente para Daniel, sintió como si le hubieran inyectado algo en las venas; la calidez de una droga potente invadió su cuerpo e hizo desaparecer la parálisis. "¿Cómo puede ser ella tan incondicionalmente admirable?", se preguntó.

Si al menos recibiera otro telegrama, noticias frescas que hicieran retroceder el reloj.

¿Y si se la llevaba con él?

¿Y si le proponía casarse?

Cuando Wanda se reunió por fin con Daniel esa noche, ambos estaban exhaustos pero alertas. Daniel había sido el primero en irse de la reunión en la cocina; había pasado ya su cuota de *caipirinhas*. Wanda lo siguió más tarde a la habitación. Acostado en el lado de la cama que ocupaba siempre Wanda, fumando un cigarrillo, la luz apagada, Daniel la contemplaba sacarse la ropa en la penumbra, su piel oscura brillando en las sombras. Wanda se sentó al borde de la cama; terminó de desabotonarse la blusa lentamente.

–Lamento lo de tu papá, me puedo imaginar cómo te sentís. Y también lo siento por haberme enojado tanto, todo lo que dije acerca de las playas.

–Está bien –quería hablarle de su propia parálisis. Le hubiera gustado explicarle que entendía su reacción, hablarle de esa distancia que sintió entre ellos, decir algo sobre su futuro incierto.

–¿Quiere servicio completo, *Monsieur*?

–Wanda, por favor.

–Nada de nombres, *Mister*. La casa no permite ningún contacto personal entre pupilas y clientes.

Se había sentido incómodo la única otra vez en la que Wanda había pretendido ser la puta. En ese sentido, ella era más libre para jugar que él. Quizás lo ponía incómodo porque le gustaba.

Desde la selva, allá abajo, se oían chillidos y gemidos, ululaciones, gruñidos y lamentos.

–Salió toda la orquesta esta noche.

–Es la luna llena. Hace salir a las bestias, ¿no notó mis colmillos, señor? Hoy tengo puesto mi diente de serpiente venenosa –le mostró los dientes, que reflejaban la luz que se filtraba por la ventana. Simulaba ser una vampiresa–. Ni siquiera va a tener que darme propina por esto.

Wanda procedió a desabrocharle los jeans y después le bajó el calzoncillo; lo tomó entre sus manos y lo revivió con sus caricias. Daniel la tomó de los hombros y la hizo acostarse sobre él. Se besaron; a él le hubiera gustado llenar y satisfacer cada uno de los orificios de su cuerpo, hacerla sentir completa. Sin embargo, en medio de ese abrazo apasionado, pensó: "¡Linda manera de celebrar el infarto de tu viejo!" Duró apenas una fracción de segundo, no lo suficiente para arruinar el encuentro. "¿Cómo puede una persona estar en dos lugares al mismo tiempo?", se preguntó. Extraño.

–¿Qué pasa? –Wanda lo había notado.

–Nada –susurró Daniel.

–¿Sabés una cosa? Nunca había cogido antes con alguien que la tuviera recortada.

–¿Cómo recortada?

–Recortada, como la tuya. ¿Te dolió cuando te lo hicieron?

–Vos decís por la circuncisión.

–Sí. ¿Te dolió?

Cada loco con su tema.

–No sé. Yo era recién nacido.

Wanda empezó a moverse lentamente mientras él la agarraba por detrás con firmeza, como si tratara de detenerla. Wanda lo mordió fuerte y lo hizo aullar de dolor.

–Mi veneno es inofensivo –dijo Wanda riendo.

Ahora él estaba encima de ella y veía su cara claramente a la luz de la luna.

–Wanda.

–¿Qué?

–¿Te gustaría casarte conmigo?

Ahí estaba, lo había dicho. ¡Qué locura!

El cuerpo de Wanda dejó de moverse. Se puso por un instante rígida, pero no duró mucho. Después, quizás un tanto triste, susurró:

–Sí, claro que me gustaría, pero no me voy a casar, ni con vos ni con nadie. *Mundo mundo vasto mundo, / se eu me chamasse Raimundo...* ¿te acordás? Leímos juntos ese poema una vez. Pero te agradezco, es el mejor regalo que me has podido dar.

Claro que se acordaba de leerlo juntos. Y su propuesta no era una solución.

–Ahora, acá hay un trabajo pendiente, así que manos a la obra, no busques excusas –se apretaron uno contra el otro–. Necesito azúcar en mi bol, no pretendas distraerme.

Se lo había preguntado en serio, pero Wanda tenía más sentido común que él. ¿Qué habría pasado si ella le hubiera dicho que sí?

–¿Azúcar en tu bol? ¿Eso dijiste? No sabía que conocías a Bessie Smith.

–¿Quién es Bessie Smith?

–Una cantante de blues, es la que canta *Sugar in my Bowl*.

–No la conozco, eso lo escuché en una novela romántica de la tele.

–Vos y tus novelas.

A partir de ese momento, ya no hablaron. Se dedicaron a hacer lo suyo con un placer lento, inequívoco. Habían aprendido a respetar sus ritmos diferentes, las olas que los reunían, las corrientes que los separaban. Los dos sentían mutua curiosidad por los diferentes mensajes que comunicaban sus cuerpos. Habían llegado al punto de poder confiar en el otro: pasara lo que pasara, por muchos que fueran los desvíos que tomara cada uno, ambos sabían que se reencontrarían al final. Era una fórmula simple: daban tanto como tomaban. Preparaban su propia poción mágica casera que siempre los había hecho felices. Y, a veces, ocasionalmente, muy felices.

Dadas las circunstancias, esa noche podría haber sido triste, pero jamás solemne. Finalmente, los dos se durmieron.

No lo esperaba pero Daniel se despertó al rato. Ninguno de los dos había mencionado ni una palabra sobre la partida inminente. Quizás era mejor así. Ahora que estaba despierto, pensaba en su padre: con los ojos cerrados, trató de recordar su cara. Pero era la cara de Damián la que reaparecía una y otra vez. Decidió levantarse y se dio una ducha larga. Cuando entró en la cocina, se sorprendió al encontrar a Luigi, garabateando unas notas. Daniel se sentó a la mesa, enfrente de él. Luigi le confesó que quería escribir un cuento sobre Río y Daniel lo ayudó a recordar algunos de los acontecimientos de los últimos días. Los dos tenían un fuerte dolor de cabeza, estaban cansados y con resaca.

Desde la ventana que había en la cocina, lo único que se veía era la pared sucia del patio interno. Escucharon por la radio los últimos resultados de los partidos de fútbol, advertencias de tormentas tropicales, vientos fuertes, mucha lluvia.

–¿Qué va a pasar con Joacaría? Va a sufrir.

–Olinda me lo regaló. Dice que es mío ahora, así que lo vamos a llevar con nosotros –dijo Luigi, esforzándose para que pareciera un comentario al pasar.

–¿Quién?

–Joacaría.

–¿A dónde?

–A Buenos Aires.

–Pero, ¿cómo?

–Lo voy a dopar, hablé con el veterinario por teléfono, me recetó unos barbitúricos. En realidad, me va a regalar unas muestras gratis. Dice que las cápsulas tienen efecto prolongado y que cada una dura hasta ocho horas. Con seis de ésas, nos alcanza y sobra para mantener a Joacaría dormido y atontado el tiempo suficiente hasta llegar a Buenos Aires. No te preocupes, está todo bajo control.

–Estamos todos locos –habría sido inútil discutir–. ¿Y dónde vas a llevar a tu pobre loro?

–Olinda me va a prestar un saco grande. Lo voy a llevar en uno de los bolsillos internos.

–¿Y si tiene que cagar?

Luigi lo miró estupefacto.

–No va a cagar –declaró–. Ya le hablaré.

La idea fue de Wanda: reservó pasajes para un ómnibus que iba para el norte. Las dos mujeres habían decidido irse; nada las retenía. Olinda se iba a reunir con su hijo y su familia; Wanda iba a encontrarse con su padre en su casa junto al Río Negro, a las afueras de Manaus, para su postergada reconciliación. Se habían asegurado de elegir un ómnibus que saliera temprano. Wanda quería que Luigi y Daniel las fueran a despedir; ella no quería sentir que Daniel la abandonaba. Al día siguiente, en cuanto se levantaron, hicieron sus valijas, alcanzaron a hacer un par de llamados y todos partieron.

En la terminal, Daniel le dio un beso prolongado en la boca a cada una de ellas y lo mismo hizo Luigi. Y después, más abrazos y más besos. La ceremonia duró un largo tiempo, entre chistes, sollozos y recuerdos de los buenos momentos juntos. Al final, cuando ya no se pudo postergar más la despedida, los dos se quedaron en la plataforma saludando con la mano a Olinda y Wanda; ellas lloraban desde el ómnibus, gritando al mismo tiempo *ciao!* y *arrivederci tutti cuanti!* como si fueran una familia de italianos. Por fin, el ómnibus partió; Daniel y Luigi entraron en la terminal. Daniel desapareció rumbo al baño y Luigi fue a buscar los pasajes a la ventanilla.

Cuando volvió, al principio Daniel no reconoció al hombre que estaba parado al lado de Luigi. No le llevó mucho tiempo darse cuenta de quién era: el Señor Sotana había regresado del más allá.

–Su amigo –dijo el Señor Sotana señalando a Luigi– me acaba de dar la desafortunada noticia sobre su venerable padre.

"¿Venerable padre?"

–Quiero que sepa que si hay algo que yo pueda hacer para hacerlo sentir mejor, estoy a su disposición.

¿Cómo explicar a ciertos personajes? ¿Qué escondía su infinita pomposidad? ¿Qué secretos encerraba?

–Aprecio su preocupación –respondió Daniel–. ¿Y qué lo trae por acá, hasta esta terminal? ¿Hacia dónde se encamina? –ahora lo imitaba.

–Vine para averiguar la ruta del ómnibus que me va a transportar hasta Ushuaia. Me mudo para allá –lo decía en serio.

–¿Por qué? –la curiosidad de Daniel era sincera.

–He visto la luz.

–Ah, ¿sí?

–Sí, después de haber visitado a un Gurú hindú.

–¿No me diga?

–Bueno, en realidad viene originariamente de Pakistán. Era un príncipe.

–¡Qué interesante!

–Apenas lo conocí, en la primera audiencia, me sentí fulminado por su mirada penetrante. "El problema con usted", me dijo, "es que usted es un chanta."

–Y usted, ¿qué dijo?

–Nada. Pero pensé: "¡Qué capacidad! ¡Qué mente! ¡Qué hombre tan honesto!" Ahí mismo me di cuenta de que me tenía que ir, que tenía que hacer algo con mi vida, fue una verdadera revelación, quiero ser reconocido por lo que soy.

–Pero todavía no entiendo por qué se va a ir tan lejos –dijo esta vez Luigi.

–Ésa es otra historia... ¡La nube! –dijo el Señor Sotana.

–¿Qué nube?

–*La* Nube.

–No sé a qué se refiere –Daniel estaba tan desconcertado como Luigi.

–La posibilidad de la Nube Atómica se está acercando. La Patagonia es el último lugar seguro –Daniel y Luigi se miraron.

–¡Ah! ¡*Esa* nube!

–Ushuaia necesita músicos. El gobierno me ofreció la dirección de un instituto –agregó el Señor Sotana.

El ómnibus estaba a punto de salir. Sin muchas ceremonias, se despidieron. Al alejarse, Luigi le gritó al Señor Sotana:

–¡Buena suerte en el Antártico!

El ómnibus los estaba esperando con el motor en marcha.

–Tipos como él llegan a ser profesores universitarios –concluyó.

–O gurúes –agregó Luigi.

Parte IV

1

Joacaría, Luigi y Daniel dormían de a ratos, soportando el calor durante el día, sufriendo el frío de la noche, sin intercambiar palabras. Hasta que llegaron al sur. Los despertó una vez más la frenada repentina del ómnibus.

–Siempre voy a volver al sur –anunció Daniel entre bostezos.

La madrugada era fría y luminosa. Sentían que hubieran podido tocar el cielo azul profundo con la punta de los dedos, tan cerca de él parecían estar. No tenían suficiente ropa de abrigo, pero Luigi tenía puesta la campera que le había prestado Olinda y llevaba a Joacaría en el bolsillo interno, contra su pecho. Corría con ventaja.

Para el desayuno, compraron un par de cervezas en un kiosco que había al costado de la ruta y tomaron café negro con cognac en la confitería de un hotel. Bajo la hilera de palmeras que los separaba de los cañaverales quemados, Luigi dijo:

–No vamos a llegar nunca.

Hacía más de veinticuatro horas que viajaban y recién estaban cerca de Río Grande do Sul. Esos buses, viejos y destartalados, chirriaban y se sacudían mientras avanzaban lentamente a su destino. La tierra rojiza hacía que todos los demás colores parecieran más brillantes. La siguiente parada era Porto Alegre. Una vez entrados en la ciudad, les llamaba la atención la cantidad de gente rubia por todos lados; obviamente, eran descendientes de alemanes, o quizás de suecos. En el restaurante que había al lado de la terminal, pidieron salchichas y un par de cervezas. Sí, las *Steinegger* y *Weisswurst* denunciaban el origen de la gente –comida picante para resucitar muertos.

Luigi encontró la *Folha de São Paulo* en el kiosco. Insistió en leerle un resumen de noticias nacionales e internacionales.

–Los gobiernos ven comunistas por todas partes –comentó Luigi.

Daniel no lograba interesarse demasiado, tenía un solo pensamiento: ¿seguiría vivo su padre? ¿Llegaría a tiempo? Las horas en la ruta parecían alargarse interminablemente; Río comenzaba a ser un sueño en el pasado lejano y Wanda aparecía en sus pensamientos como una figura mítica. Hasta hacía apenas unas horas, él sabía qué blusa tenía puesta, reconocía el olor de su pelo rizado, el perfume de su cuerpo, su risa inconfundible, toda clase de detalles triviales sobre su diaria existencia. Ahora, ella se había vuelto inaccesible, insondable; tenía que hacer un esfuerzo por recordar su cara. La memoria era tramposa.

–Me muero en estos momentos por un mate. ¿Te sobra algún sedante? –cualquier cosa con tal de desaparecer.

–Sí.

–Me gustaría dormir un poco.

El arreglo con el papagayo estaba funcionando; Joacaría se mantuvo quieto dentro del bolsillo interno de la campera de Olinda. Luigi le había mezclado una dosis reducida del remedio con un poco de agua azucarada al comienzo del viaje; se lo hizo beber con un gotero comprado en una farmacia. De cuando en cuando, se oía un leve murmullo, un quejido suave. Joacaría parecía haber entendido lo que se esperaba de él.

Luigi sacó una muestra gratis de una cápsula clara llena de bolitas diminutas de color azul oscuro, celeste y blanco. Daniel se puso la cápsula en la lengua y se la tragó con un sorbo de agua. En la cajita había un folleto explicativo: "Para el tratamiento de la epilepsia y en condiciones que requieran sedación".

–¿Epilepsia? Perfecto, justo para mí. Esto me tiene que hacer bien –bromeó Daniel. Siguió leyendo–: "Se deberá indicar a los pacientes que eviten el consumo de alcohol durante el tratamiento". Ya nos tomamos dos cervezas y un cognac...

–Se supone que esto es para tranquilizarte, no para ponerte más ansioso. No te preocupes y disfrutá de tus sueños, pichicatero.

Cuando volvieron al ómnibus, Daniel no se sentía bien. Miró por la ventanilla, vio una sombra verde de árboles y sintió que pasaban demasiado rápido. "¿Será tu aguda percepción de la realidad?", se preguntó cerrando los ojos, ¿o una distorsión producida por alguna visión interior inexplicable? ¡Mierda! A lo mejor la pomposidad del Señor Sotana era contagiosa. Estaba luchando contra el sueño y trataba en vano de leer uno de los libros que habían llevado. A pesar de sentirse mareado, de caminar entre nubes, estaba contento de doparse con una droga legal.

¿Cuál era la magia de la literatura? Sus viejos jamás leían libros. Su papá compraba las *Selecciones del Readers' Digest*, pero Daniel sospechaba que la revista quedaba sin leer en la mesa de luz todo el mes, salvo por los chistes. Daniel mismo había empezado su carrera literaria con las historietas semanales: *Rayo Rojo, Misterix, el Pato Donald*. Los primeros libros fueron los *westerns* abreviados. Era un misterio cómo, a una edad temprana, había empezado a leer a los poetas republicanos de la Guerra Civil Española. ¿De dónde los habría sacado? Ah, sí, ahora se acordaba, Damián le había mostrado unos poemas de Antonio Machado. Después, Federico García Lorca, Miguel Hernández, León Felipe. Ya un poco más grande, el amor por los libros lo llevó a recorrer las librerías de la calle Corrientes, abiertas hasta la madrugada. Después, Luigi y Daniel habían vivido en una pensión justo sobre el restaurante *La Emiliana*. Muchas noches las terminaban desayunando chocolate con churros en *La Giralda*, hablando sobre Nietszche, la dialéctica de la relación amo-esclavo y la improbable existencia de la Super Vagina descrita por Henry Miller. Pensó: "Ojalá no hubiera perdido la oreja en la guerra". Se despertó con un sobresalto. ¿De dónde había salido eso? ¿Con qué estaba soñando? ¿La oreja? ¿De qué guerra se trataba? No llegaba a entenderlo. Ah, sí, los libros. El leer había precedido al escribir. No, eso no era cierto, la escritura había llegado primero. "Pero fue la lectura lo que me salvó de la locura", pensó.

Y se quedó profundamente dormido.

Tuvieron que cambiar de ómnibus, esta vez en Montevideo. Daniel estaba medio confundido, todavía deambulando entre sueños. "Esta pichicata no puede ser buena para un pobre papagayo", pensó, "podría matar a un percherón." Con razón Joacaría se estaba portando tan bien.

En Colonia, no tuvieron que esperar mucho: el siguiente barco para Buenos Aires estaba listo para salir. Luigi estaba silencioso, apretando la campera contra su pecho. Daniel no podía contener su mufa, sobre todo seguía enojado consigo mismo por no haber insistido en que los burócratas del consulado le permitieran viajar en avión. A lo mejor, tendría que haberse contactado con el agregado cultural para pedirle ayuda. Se acusaba una y otra vez de no haberse preocupado lo suficiente por su padre. Estaban tardando siglos en llegar. Y sin embargo, sabía que Luigi lo había intentado todo; ni él mismo podría haberlo hecho mejor. Además, aunque Luigi se hubiera quedado, el costo combinado de dos pasajes de ómnibus no llegaba a cubrir el costo de un solo pasaje en avión a Buenos Aires. ¿Adónde había ido a parar toda la plata de la beca?

El cruce fue rápido. Todavía no se había levantado el viento; las aguas marrones y contaminadas del Río de la Plata estaban calmas. Brillaba el sol, era una hermosa tarde. Daniel se paseó por el barco, absorto en sus propios pensamientos. Se sentó en una banqueta de la cubierta, rememorando ese otro cruce a la isla Paquetá. Pensó en Eugenio, en su destino trágico. No hay crimen sin causa, ¿por qué lo habían matado? La policía sospechaba que se trataba de una *vendetta*; hablaban de un posible ajuste de cuentas por alguna deuda grande por drogas. No había creído ni una palabra de lo que dijeron los diarios. Si era cierto que no había crimen sin motivo, Daniel no podía creer que fueran las drogas. Nada en su encuentro con Eugenio lo sugería. ¿Por qué iba a estar tan endeudado Eugenio? No parecía un adicto, y por supuesto que no era un traficante. Era más bien un pobre tipo, atormentado por los fantasmas de su casa pintada de rojo y negro para demostrar su simpatía por el Diablo. ¿Estaría metido Eugenio en algo inimaginable? Todo ese asunto de *Exú* y su deseo de reivindicar el nombre de la deidad; se acordaba de lo sombrío que le había parecido todo, del estremecimiento que había sentido en su casa. Daniel también recordó los días que habían pasado en el departamento de los travestis, sus discusiones sobre religión, las comidas compartidas, la ropa a lo Carmen Miranda, la noche inolvidable en el Festival del Escritor Brasileño. Se acordó de la historia del cambio de nombre de Sócrates a Carmela, el Pantanal y Marie-Antoinette; el sorete grueso y duro sobre el Mercedes Benz blanco.

El cambio repentino en el ruido del motor interrumpió sus pensamientos: habían llegado.

El primer encuentro con las autoridades argentinas los hizo aterrizar de golpe. Luigi y Joacaría pasaron sin ningún problema por la aduana, pero a Daniel lo detuvo el oficial de migraciones.

–No va a poder pasar –anunció el hombre con bigote de bandolero mejicano; su evidente satisfacción rozaba el orgasmo; su puesto le daba la oportunidad de ejercer una pequeña cuota de poder.

Daniel lo miraba sin registrar sus palabras. ¿Seguiría bajo los efectos del sedante?

–¿Pero es que hablo chino, señor? ¿O qué? –había que oír esas palabras dichas con el más recalcitrante acento porteño para comprender su efecto.

Se quedó paralizado por la indignación. Ausente, pensaba: "Lo voy a matar. No tengo más que agarrarlo de la corbata y tirar bien fuerte, lo suficiente para estrangularlo; no es difícil; lo puedo hacer. Mientras tanto, dejalo terminar y sonreí." En cambio, le preguntó cortésmente:

–¿Me podría decir por qué no me puede dejar pasar?

–La foto, señor, la foto –explicó el Abominable Hijo de Puta señalando el pasaporte.

–¿Qué pasa con la foto?

–Pero es que señor, ¡usted tiene barba! ¡Y en la foto está *sin* barba!

–¿Pero acaso no se nota de acá a la China que el de la foto no es otro que mi propio, único, incomparable y feo *yo*? ¿No me reconoce? –la gente de la cola había empezado a reírse.

–No tanta risa, señores, no tanta risa –dijo el hombre, inclinándose a un lado, para que todo el mundo pudiera verlo. Se estaba poniendo impaciente. Le devolvió el pasaporte con un gesto brusco–. No puedo hacer nada –así de fácil–. A ver, ¡que pase el siguiente!

–¿Y si me afeito? –Daniel no podía entender cómo había llegado a pensarlo; por un momento, se había sentido totalmente perdido. Hasta el burócrata pareció sorprendido; se tomó unos segundos para digerir su sugerencia. Era tan obvio y simple.

–En ese caso, sí, no habría problemas.

No lo podía creer.

Luigi estaba a salvo, del otro lado del panel de vidrio, sin saber si reírse o llorar.

–Ya vengo.

Fue corriendo al baño de hombres y quedó como nuevo: se re-
cortó la barba con las tijeras de su cortaplumas, y se afeitó con su
maquinita de afeitar. Pero cuando volvió a la cola, el oficial ya se
había ido y lo había reemplazado un colega. Se sintió ultrajado. El
hijo de puta ni siquiera le había dado esa satisfacción.

Muy pronto, estaban otra vez en un ómnibus.

–Tengo el culo cuadrado y chato de tanto viajar en esta mierda
–se quejó. Habían llegado a casa y no estaban felices.

El mismo día en que llegaron a Buenos Aires, la madre de Daniel había vuelto de Río Cuarto, donde estaba internado su padre.
Con dinero prestado su mamá había comprado un pasaje para que
Daniel fuera a verlo a su padre en avión. Luigi, por su parte, viajó directo a Sierra de la Ventana, donde vivía su madre; se quedaría con
ella por un tiempo. Habían acordado reunirse en Buenos Aires para
decidir qué hacer después, cómo planificar su regreso a Río.

Pero su madre tenía otra noticia trágica que contarle: a Damián
lo habían detenido en medio de la noche y lo habían llevado a la Sec-
ción Especial; probablemente, volvía de una reunión del sindicato.
Había muerto en el Hospital Fernández una semana más tarde; sobrevivió el tiempo suficiente para contarle a su propia madre lo que
le había pasado. Lo habían conducido encapuchado en un Ford Fal-
con de la policía; después de pasar unas horas en la calle Moreno, lo
trasladaron a un destino desconocido, donde lo pusieron desnudo
sobre una mesa. Mientras sonaba el Himno Nacional a todo volumen
para ocultar sus gritos, le aplicaron la picana en los testículos, en las
encías, en las axilas.

Horrendo. Injusto. Una muerte al pedo. Pero Daniel no lo podía
registrar claramente en esos momentos. Estaba preocupado por su
papá, por su mamá, por sus hermanas. Todo se sentía demasiado
frágil.

Pasó gran parte de la noche hablando con sus hermanas y tomó
el avión para Río Cuarto a la madrugada siguiente.

El folleto que le dieron a su arribo al aeropuerto decía: "*La ciudad,
la metrópolis, el pueblo, la aldea constituyen el núcleo inicial de una
forma de la vida social humana que prolonga la vida íntima de la casa
natal, haciéndonos sentir 'nosotros' por nacimiento, residencia y parti-*

cipación en un anhelo similar de nobleza universal. Según la filosofía platónica, no son los aspectos edilicios de la Ciudad los que la hacen hermosa y confortable, sino que encarna ella misma un espíritu, una moral, una educación, un sentimiento que no niega las riquezas materiales sino que establece un conjunto de valores ordenados de acuerdo con su prioridad para la intimidad y la convivencia con los demás."

¡Qué prosa! ¡Qué belleza! *Le style c'est l'homme.*

No tuvo que esperar por su equipaje: sólo había llevado una muda de ropa en una bolsa de plástico. Fue el primero en la fila en la parada de taxis. Al subir al coche, le mencionó el nombre del hospital al taxista.

–¿Viene a ver a algún pariente? Espero que no sea nada grave –no es que al hombre le importara–. Si tiene tiempo, no se pierda la oportunidad de visitar el Parque Sarmiento y el Anfiteatro. Y hasta tenemos un Museo de Bellas Artes. Ésta es una ciudad muy cultural, ¿vio? ¿Le gustan los caballos? Tengo una fija para la carrera de las tres y cuarto de mañana: Cara Pálida, cinco a uno. No está nada mal, ¿eh?

Subió los escalones de la entrada principal del hospital pensando en la fija: Cara Pálida, cinco a uno. Se imaginaba a Bob Hope, vestido de piel roja, corriendo por el Hipódromo; Jane Russell, con medias de red negras, era su jockey. ¿Cuánto años hacía que había visto esa película? El Coliseo Palermo. El Rosedal. El cine Park de la calle Thames. El Gran Norte frente a la placita de Malabia.

Su padre estaba en una habitación al final de un largo corredor, en un segundo piso. Estaba solo, acostado en una cama en un cuarto demasiado grande, demasiado vacío. Tomó la única silla que había, metálica y lúgubre, y la acercó a la cama. Todo estaba pintado de un color rosado anémico: las paredes, las puertas, las ventanas y hasta la cama. Había un ramito de flores en un florero improvisado que, en una vida anterior, había contenido dulce de leche.

Su papá estaba dormido, pero en cuanto Daniel se sentó, abrió sus hermosos ojos claros: traslúcidos, de color azul cielo, parecían irradiar una luz suave en la habitación mal iluminada. Su padre dejó escapar un gemido.

–Llegaste justo, sabés –le dijo–. Te estaba esperando. Me voy a morir.

A Daniel le corrió un escalofrío por la espalda. Apoyó la mano sobre la de su padre y lloró en silencio.

–Pasamos buenos momentos juntos, ¿no?

–Pasamos muy buenos momentos juntos, papá, yo siempre la pasé genial con vos.

–¿Cuándo volviste?

–Ayer.

–Perdoname.

–No seas tonto, viejo, ¿por qué estás pidiendo disculpas?

Se quedaron en silencio un instante, en el que su padre mantuvo los ojos cerrados. Después, los abrió para preguntar:

–¿Vos estás bien?

–Yo estoy bien, no te tenés que preocupar.

–No, no me preocupo.

–¿Y vos? ¿Estás cómodo?

–Estoy bien –sin embargo, su cara dejaba entrever dolor y angustia. Estaba casi sentado contra el respaldo de la cama, ayudado por dos o tres almohadas. Tenía un tubito de plástico transparente en una de sus fosas nasales; otro, pegado con cinta adhesiva blanca, llevaba a una aguja inserta en su brazo izquierdo. En el pecho, tenía pegados cables de colores conectados a un monitor, el que marcaba los latidos de su corazón.

–Mamá me dijo que tenés una novia en Brasil –su madre no sabía nada de Wanda. ¿Quién se lo podría haber contado? ¿O se lo estaba inventando?–. ¿Te gustaría traerla acá? –preguntó su padre, sabiendo que era una idea absurda. Primero, las disculpas; ahora, un poco de fanfarronería.

–Tenemos otras cosas de las que ocuparnos por el momento. Lo importante es que te pongas bien.

Al principio, su papá sonrió débilmente. Después, se le empezaron a caer las lágrimas. Daniel le tomó ambas manos entre las suyas: estaban tibias. Recordó la sensación física de estar asustado de pibe; lo único que lo salvaba era la mano tibia y fuerte de su padre.

–¿Me podrás conseguir *Di Yidishe Tsaytung*?

–¿Para qué lo querés si vos no sabés idish?

–Pero mi papá sabía –Daniel sintió unas ganas inmensas de abrazarlo–. Además, los editoriales siempre están en castellano.

¿Qué estaría pasando por la cabeza de su padre en ese momento?

–Hay un kiosco en la esquina; dentro de un rato voy a ver si lo consigo –dijo Daniel. No había muchas esperanzas; en Río Cuarto no podían vivir muchos judíos; era difícil de imaginar que el kiosco tuviera el periódico.

–Tendrías que haberlo conocido a mi viejo. Era un buen hombre.

–Todos en la familia siempre han dicho eso, que era un tipo muy especial.

–¿Alguna vez te conté que él hacía su propio vino? Tenía un enorme barril abierto en el patio de atrás. Todos los años, compraba una montaña de uvas y las traía a casa en un carro viejo y sucio. Después, con un amigo se ponían a pisarlas; se arremangaban los pantalones y bailaban descalzos en el barril, riéndose mientras contaban historias sobre su tierra.

–No, nunca me contaste eso. ¿Eran amigos, vos y él?

–No éramos amigos como vos y yo. Él era muy estricto, no le gustaban las cosas que me gustan a mí, no entendía el tango, no fumaba, odiaba el fútbol.

Cuando era chico, su papá lo llevaba a Daniel casi todos los domingos a ver a Boca. El día empezaba a las once de la mañana, con el partido de tercera. Después, almuerzo con sándwich de lomo. La reserva. Coca-Cola y sándwich de jamón y queso. Finalmente, la primera. Colman y Edwards. El pelado Pescia. Pierino Gamba. Ferraro, Campana y Busico. El Riachuelo era una fiesta. Al salir, pizza con fainá. La Bombonera era su segundo hogar. Los sábados, a veces iban a ver algún partido de la B, a hinchar por Atlanta en la Paternal. Y los miércoles a la noche, al Luna Park, a ver boxeo amateur. Se acordaba, sin entender por qué, del nombre de un boxeador: Cucuzza Bruno. Se había sentido siempre muy privilegiado: nunca hubo mucho dinero en la casa pero su viejo se las arreglaba para que hubiera lo suficiente para el fútbol. A ninguno de sus amigos de la barra los llevaban a la cancha.

Pero un día, su padre sufrió un accidente: mientras viajaba en un tranvía sentado del lado de la ventana, lo chocó un camión a contramano. En el hospital lloró y aulló y le suplicó al cirujano que no le cortaran el brazo. Le llevó dos años de múltiples cirugías, pero había logrado que los médicos le reconstruyeran su brazo derecho con segmentos de hueso tomados de las piernas y las caderas. Habían sido tiempos duros para la familia y Daniel tuvo que empezar a trabajar. Un amigo de la familia, que tenía una imprenta floreciente, le ofreció un puesto –aunque era ilegal tomar a chicos de menos de catorce.

Amaba a su padre, pero el accidente cambió su relación. Daniel odiaba tener que ir a visitarlo al hospital, tener que cuidarlo, vaciar la chata en esas tardes calurosas y húmedas de verano, dormir al lado de él sobre el piso sucio. Justo cuando más necesitaba su amor y compasión, se sorprendió a sí mismo despreciándolo. Sus visitas al hospital se hicieron más y más cortas.

De regreso a la casa, su padre pasaba las largas horas de convalescencia mirando televisión, una compra especial en cuotas que había hecho su madre. Era difícil creer que algún día se podría de verdad recuperar. Entretanto, Daniel se pasó de la imprenta a un banco, de ahí a un estudio jurídico. Hizo encuestas por la calle, pegó afiches a la noche, vendió dudosas parcelas en unas playas perdidas por el Uruguay. Finalmente, se fue a vivir a una pensión.

A fuerza de luchar, su papá recobró su salud y volvió a trabajar restaurando pianos usados, ganando lo justo para pagar el alquiler y comer. Poco a poco, Daniel fue recuperando el respeto por él. Comprendió la humillación por la que había pasado. Se hicieron amigos otra vez. Pero nunca más fueron al Riachuelo juntos. Ya nunca más pizza con fainá.

–Una vez llevé a mi viejo a un partido de fútbol –recordó su padre–. Por fin, lo convencí después de muchos meses de rechazar mis invitaciones. Jugaba Boca contra Lanús. Se armó una podrida bárbara, con avalanchas y tiroteos, hasta tuvo que intervenir la montada. Hubo algunos muertos y varios heridos –quería reírse pero, en cambio, lloraba. Poco después, se quedó dormido.

Cuando se despertó, dijo:

–Las papas están que queman, tené cuidado. ¿Te enteraste de lo que le pasó a tu amigo Damián? ¿Sería comunista?

–¡Por supuesto que sí! Vos sabés que era comunista. Anoche llamé a su mamá. Los hijos de puta lo venían siguiendo de cerca y Damián se la veía venir. Tenía pensado irse, ¿sabés? Ya se habían llevado a varios dirigentes del Partido. De algo estoy seguro: Damián no estaba metido ni en la subversión ni en el terrorismo; ¿acaso te podés imaginar a un miembro del PC como guerrillero? Era un militante honesto, muy activo en los sindicatos. Era un idealista. Eso es todo, viejo. Ojalá hubiera sido guerrillero, su muerte habría tenido más sentido.

Se había dormido otra vez. No duraba mucho despierto; o estaba muy cansado o estaba sedado.

–Es una lástima que no nos hayan colonizado los ingleses, ¿no? –dijo cuando volvió a despertarse.

–No digas eso o van a pensar que sos un bolche, un vende patria.

–Imaginate si nos conquistaban los ingleses: hoy seríamos como Estados Unidos. No estaríamos tan mal, ¿eh? Todo el mundo odia a los yanquis, pero en el fondo queremos ser como ellos. Los envidiamos; si hoy habláramos inglés, no tendríamos a esos gorilas fascistas en el gobierno.

Otro silencio. La conversación transcurría en cortos episodios, fragmentos interrumpidos por breves intervalos de sueño. Pensó en el primo de Damián que vendía medialunas a la comunidad latinoamericana exiliada en Sydney. ¡Si los argentinos hubieran sido conquistados por los ingleses! No sabía nada de Australia, salvo que de ahí venían los eucaliptos, los boomerangs y los canguros. Damián tendría que haber aceptado la invitación que le había hecho su primo para ir a trabajar con él a la panadería; mejor estar cubierto de harina que de tierra.

–Tengo que pedirte algo.

–¿Qué? Decime.

–No quiero que me entierren en La Tablada. Es muy caro.

–No te vas a morir, papá.

Una vez más, se puso a llorar débilmente.

–La verdad es que ya no puedo más, no doy más.

–Pero recién tenés cincuenta y dos años. Todavía sos muy joven.

–Mi papá murió a los cincuenta, y yo siempre dije que me iba a morir a esa misma edad. Ya viví un par de años extra.

–Sería injusto que desaparecieras ahora. Todavía ni tenés nietos.

–Las cosas no salieron como yo quería.

–Ésa no es razón para colgar los botines, viejo. No te va a servir de nada tenerte lástima.

–Es que fui tan infeliz, sufrí tanto –Daniel no sabía qué decirle. Le creyó–. Quiero que me entierren en La Chacarita.

–¿Cerca de Gardel?

Esta vez su papá le sonrió.

–Prometémelo.

–Te lo prometo.

Si su padre estaba tan empeñado en no querer estar en un cementerio judío, ¿por qué le había pedido que le comprara el diario
idish? Sabía que él siempre se había sentido muy judío, a pesar del
deseo ocasional de ocultarlo. También sabía bien cuánto había sufrido su padre por el antisemitismo que reinaba en el barrio en el que
se había criado. Todos los partidos que jugaba para el Club Macabi
terminaban en pelea:

–Siempre esperaban que saliéramos a jugar con *peyess*.

Su padre se sentía culpable por no haber hecho dinero. No quería que su familia gastara en su entierro guita que no tenía. A lo
mejor, también tenía vergüenza. Daniel recordó las visitas mensua-
les que les hacía la *Chevra Kaddisha*, la que administraba los cementerios. Todo el mundo sabía que inflaban los precios de acuerdo
con los ingresos que tenía la familia; hacían bien en desconfiar, algunos judíos ricos hacían lo imposible por esconder sus fortunas.
Pero si uno no había aportado lo suficiente en vida, terminaría muerto y enterrado en un cementerio *goysche*. Peor que ir al Infierno.

–¿Me cortás las uñas de los pies? Odio tenerlas tan largas –era
un pedido tan íntimo–. La enfermera también me dijo que me tenía
que cortar el pelo.

Hasta ese momento, no había aparecido ninguna enfermera;
nadie había ido a ver si estaba bien o si necesitaba algo. Se puso a
cortarle las uñas de los pies con las tijeritas de su cortaplumas.

–¿Está el papagayo por ahí? –Daniel casi se cae de la silla. Primero, le preguntaba sobre Wanda sin saber nada de ella. Ahora, por
Joacaría–. Tiene que estar debajo de la cama –agregó.

Tardó algunos segundos en darse cuenta de que se estaba refiriendo al papagayo para orinar, nada que ver con Joacaría. No lo encontró debajo de la cama; estaba en el pequeño armario de metal.
Retiró las sábanas, tratando de no tocar los cables que su papá tenía
en el pecho. ¿Por qué parecía estar sufriendo tanto? Iba a llamar a
una enfermera y le iba a preguntar. ¿Se podría hacer algo por él? Su
papá tenía los pantalones del piyama desabrochados; Daniel puso el
pene de su padre en el papagayo. Fue una meada larga. Después,
llevó el papagayo a la pileta que estaba del otro lado de la habitación
y lo enjuagó.

–Ayer vino el capellán. Me preguntó si quería confesarme.

–¿Qué le dijiste?

–Soy judío, le dije. "Israelita", me corrigió él. Creen que la palabra judío es un insulto. Yo le dije: "No, ni israelita, ni israelí, cien por cien judío". Le expliqué que no quería ningún perdón, ni de su Dios, ni tampoco del mío. "Soy un judío de la Diáspora y Dios es el que me tiene que pedir perdón a mí. Él pecó contra nosotros."

Su padre parecía convencido de que se iba a morir; le resultaba insoportable.

–¿Viniste en avión desde Buenos Aires? ¿Qué tal el viaje?

–Bien. El avión estaba medio vacío. Vos nunca viajaste en avión, ¿no?

–No.

–¿Cómo puede ser?

–No sé.

Daniel no podía entender, por ejemplo, por qué su padre nunca había aprendido a nadar, o por qué ni siquiera había intentado manejar un auto. No era sólo cuestión de pobreza.

Se había dormido otra vez. Esta vez, más profundamente que antes. Daniel necesitaba un baño y su búsqueda lo llevó hasta el otro extremo del pabellón. Cuando volvía, se encontró con una enfermera en el pasillo; se la veía ocupada y segura. Daniel se presentó y, antes de que él pudiera decir nada más, la enfermera declaró:

–Su padre se va a poner bien, no se preocupe. Todo está bajo control. El doctor lo vio antes de que usted llegara y lo revisó. Si necesita algo, toque el timbre que está sobre su cama –y se fue sin decir más.

Cuando volvió a la habitación, seguía dormido. Daniel se sentó en la silla. ¿Qué pasaría si su padre se moría? Iba a tener que hacerse cargo de su madre y sus hermanas, trabajar y dejarse de joder con sus ganas de ser poeta, demostrarle al mundo que podía ser un adulto. Nadie se ganaba la vida escribiendo poesía, ni siquiera escribiendo novelas; no en la Argentina, al menos. Muchos de sus amigos se dedicaban al periodismo; a él le resultaría imposible hacer algo así.

Estaba perdido en sus pensamientos cuando su padre se despertó con una tos horrible, ahogado, luchando por un poco de aire. Se inclinó bruscamente hacia adelante y trató de decir algo, pero no le salió ni una palabra; cada vez que tosía, sacaba la lengua afuera, como si fuera a vomitar; le subía la sangre a la cabeza. Daniel tocó el timbre de emergencia inmediatamente y pidió ayuda a los gritos.

Su papá siguió tosiendo, sin conseguir aire suficiente; al inclinarse hacia delante en uno de sus espasmos, se arrancó el tubo de oxígeno de la nariz. Daniel estaba luchando para volvérselo a poner cuando llegaron dos enfermeras; detrás de ellas, vino corriendo un médico joven. Daniel se apartó de la cama, fue hacia la puerta y se quedó parado afuera de la habitación, sin poder ver lo que le estaban haciendo a su padre.

"Se va a morir de verdad", pensó. Y después: "No es posible, papito, no te mueras, no se te ocurra morirte, no me dejes, carajo".

El médico no parecía estar haciendo nada; les daba instrucciones a las enfermeras mientras ellas revoloteaban nerviosamente a su alrededor. Una de ellas salió apresuradamente a buscar algo, mientras se dirigió a Daniel:

–¿Por qué no se sienta en la Sala de Espera? Va a estar más cómodo.

Como si se tratara de comodidad la cosa. Encontró una silla en el pasillo, la puso cerca de la puerta y se sentó. Sintió frío y el tiempo no parecía pasar. El lugar cayó en un completo silencio; Daniel podía escuchar su propia respiración. Después, vió a la enfermera volver con unas ampollas y una jeringa en las manos.

Finalmente, el médico apareció por la puerta de la habitación y se giró hacia Daniel. ¿Cuánto tiempo había pasado? Le dijo con aire solemne:

–Lo siento mucho. No pudimos hacer nada para salvarlo. Su padre falleció.

Llamó por teléfono a su mamá y a sus hermanas. Mientras las enfermeras retiraban el cadáver, puso las pocas ropas que encontró en el armario de metal en una bolsa de plástico y los medicamentos en otra; las enfermeras le aclararon que, como estaban incluidos en la factura, le pertenecían a su familia. No sabía para qué iban a querer todas esas píldoras, tabletas, cápsulas, gotas e inyecciones, y cuatro ampollas de morfina.

Daniel había llegado a un trato con la administración de la clínica: le permitirían retirar el cuerpo de su padre para que pudiera llevarlo directamente a Buenos Aires en una ambulancia; el certificado de defunción le sería entregado por el chofer contra el pago de la factura del hospital, más el dinero que se le debía a la funeraria por el ataúd y el transporte. Uno de los tíos de Daniel había acordado pagar por todo; si bien odiaba depender de la caridad ajena, él estaba agradecido al tío Gershon por semejante oferta.

Eran las diez de la noche cuando finalmente llegó a la funeraria. La elección del ataúd fue una farsa. El que estaba a cargo había estado a punto de irse a dormir cuando recibió la llamada de la clínica; hacía lo que podía por mantenerse amable. Daniel tenía que elegir entre cientos de ataúdes diferentes, prolijamente acomodados en grandes estantes en un depósito detrás de una pequeña capilla, todos abiertos y esperando ser ocupados por personas que ya no lo eran. El hombre le explicó las características y beneficios de las diferentes clases de madera, la calidad del revestimiento interno, los intrincados adornos y decoraciones que acompañarían a su padre en su largo viaje a casa. Cuando Daniel finalmente se decidió por el más barato –un ataúd simple y común–, el hombre no podía ocultar su decepción:

–Bueno, lo importante –dijo el funebrero– es que Nuestro Señor le dé la bienvenida a su alma; su cuerpo va a tener que descansar en esto en el cementerio.

Todavía tenía que pasar por el hotel en el que se había alojado su padre antes de sufrir el infarto, a buscar las cosas que hubieran quedado ahí. Resultó ser una tarea dura. Era un hotelito ubicado cerca del río que dividía la ciudad. La habitación la había pagado por adelantado el amigo de su padre, Juan Carlos, que había viajado con él y había regresado de inmediato a Buenos Aires. La dueña del hotel, una mujer gorda y gritona, tenía puesto un vestido que parecía una carpa de beduinos y fumaba una pipa apretada entre los dientes; sólo abría la boca para putear y escupir con verdadera satisfacción en una escupidera blanca que tenía al lado de la silla. En una de las paredes del lobby del hotel había un cartel que decía: *Se prohibe escupir en el suelo.*

Lo guió hasta la habitación.

–¿Usted cree que nuestras almas son inmortales o que cuando uno se muere, se acaba todo, que es el final de los finales? –la mujer no esperó a que le respondiera. Era difícil de creer, pero igual que tantas otras habitaciones de pensión, ésta tampoco tenía ventana. Sin aire fresco ni ventilación, olía a humedad; años de humo de cigarrillo habían impregnado el empapelado floreado. La habitación estaba mal iluminada por una lamparita del techo, ofreciendo una luz amarillenta, inútil, poco acogedora. La cama seguía sin tender y la puerta del ropero colgaba a medio abrir.

Mientras Daniel sacaba todo lo que había en el ropero y lo ponía sobre la cama, ella, inclinada contra el marco de la puerta, seguía:

–Yo espero que exista un infierno y que mi marido pase en él su eternidad. Era la persona más cruel que hubiera existido. A mí no me la quiso dar en los últimos veinte años de su vida, y va a morirse mientras se cogía a una putita en un quilombo de Córdoba. Le dio un infarto, igual que a su padre, pero mi marido se murió en el acto. Estiró la pata cogiendo, el hijo de puta. La verdad es que tan mal no le fue.

La miró con rabia. Estaba furioso, no necesariamente contra ella.

–Cualquier cosa, estoy abajo, si me necesita –dijo ella, y desapareció.

Encontró una valija en un rincón y la llenó con todo lo que había: dos pantalones, tres camisas sucias, un par de corbatas, calzoncillos, medias, un viejo par de galochas de goma negras. Mientras empacaba mecánicamente, empezó a sentirse mal. Pensó en su padre. Pensó en Damián. "Al menos, soy un hijo enterrando a su padre, y no al revés". No podía dejar de pensar en la madre de Damián, en las circunstancias de la muerte de su hijo. Laura y los chicos se habían ido del país; estaban en España. Ahora su madre, viuda ya desde hacía tiempo, era la que había empezado a deambular por las casas de los amigos; no podía quedarse sola, tenía miedo de volverse loca.

Llevando la valija desde el hotel a la clínica bajo el cielo estrellado, Daniel comenzó a recitar los primeros versos del Himno, los mismos que habían puesto a todo volumen para tapar los gritos de Damián:

> *Oíd, mortales, el grito sagrado:*
> *¡Libertad, libertad, libertad!*

Le dijeron que la ruta 8 no estaba tan mal.

–Si Dios quiere –dijo el funebrero–, en siete horas, llega.

Mentía. La ruta estaba llena de pozos, y aun con la ayuda de Dios, era imposible llegar a Buenos Aires en menos de nueve horas.

Profundo Mariscal, el chofer, parecía un descendiente directo de los indios Comechingones. Tenía esos rasgos transmitidos de generación en generación por genes eternos –el pelo negro y grueso, los ojos rasgados, la piel mate, la nariz achatada como la de un boxeador–, los únicos vestigios de la cultura aborigen que sobrevivieron a la conquista. Los españoles habían conquistado América fornicando.

Las facciones de Profundo transmitían tranquilidad. Vestido con un saco arrugado que no le combinaba con la corbata, el hombre se había venido con un termo de café y una bolsa de papel madera llena de suficientes facturas como para un equipo de fútbol. Sonrió cuando el funebrero los presentó. Salieron cerca de medianoche: Profundo al volante; Daniel, en el asiento del acompañante; su padre, acostado pacíficamente y eternamente silencioso, atrás.

Le vino a la mente una línea de Hamlet: "*todo lo que vive debe morir*". ¿Quién podría negarlo? No los que ya estaban muertos, como su papá, metido como estaba en su ataúd. Para su padre, morir había sido un acto de libertad: un gesto final, su último deseo. Qué desperdicio, no haber podido pasar más tiempo juntos. En una de esas largas noches en Río en las que se habían quedado hablando hasta la madrugada, Olinda había declarado que su único deseo era dejar una marca en el mundo; no un hijo, como David, sino algo por lo que sería recordada después de su muerte. Ella sí que no podía quejarse, ya tenía sus cuadros colgados en el Museo de Arte Moderno. Pero su padre, igual que Eugenio, igual que Damián, no había dejado nada.

–¿Quiere una factura, señor? –lo convidó Profundo–. ¿Un poquito de café?

Rechazó las dos cosas; nada se podía comparar a esos cafecitos *cariocas* con azúcar. No era lo único que extrañaba de Brasil. Un poco antes, ese mismo día, había estado escribiéndole mentalmente una carta a Wanda. Tenía mucho para contarle. Reconsideró las explicaciones que le había dado el médico en el hospital: su padre sufría de una bronquitis crónica que le había causado insuficiencia cardíaca. "Demasiada presión en las arterias pulmonares", había dicho el médico. Cuarenta cigarrillos por día no habían ayudado. Durante su infancia, las mañanas habían estado signadas por la tos de su padre. "Es una tos normal de fumador, nada más", solía decir su papá a todo el que se molestara en preguntarle. ¿En qué había estado pensando antes? Ah, sí, en dejar una huella en el mundo. Le preocupaba el futuro, cómo iba a mantener a su madre y a sus hermanas. Estaba muy bien eso de sentir que ahora tenía que ser un adulto, pero ¿cómo se las iba a arreglar? ¿Era un escritor de verdad? Y si lo era, ¿qué iba a hacer? Estaba un poco envidioso de Olinda y pensaba, sin razón: "Para los pintores, es más fácil". Sabía que no era cierto. ¿Cuándo había empezado ese compromiso con la literatura? La conexión con la señorita Calvo no era un motivo suficiente. ¿Cómo iba a demostrar que era escritor y poeta, si no era *escribiendo*?

De pronto, abrió los ojos y miró a Profundo. ¿Qué había pasado? ¿Cuánto hacía que estaban viajando? ¿El chofer había estado cabeceando? ¿Se estaba quedando dormido? Quizás no había sido tranquilidad y paz mental lo que transmitía su rostro: el tipo había estado medio dormido desde el primer momento.

–¿Se siente bien? –se animó a preguntar Daniel.

–Estoy bien, señor –dijo el hombre.

–¿Quiere café? –le ofreció esta vez. Estaba preocupado; estaba seguro de que el chofer se estaba quedando dormido. Qué genial. Fenómeno. Macanudo. Profundo aceptó la oferta del café.

–Media tacita, nada más –sus modos comunicaban un mensaje muy claro: "Déjeme tranquilo".

Le sirvió primero a Profundo y después se sirvió a sí mismo un vaso lleno. Le hubiera gustado tener un poco de cognac, algo que le infundiera valor. Mientras Profundo siguiera con el vaso en la mano, era señal de que el hombre seguía despierto. No quería morirse mientras llevaba a su padre al funeral en una ambulancia. No tuvo mucho tiempo más para pensar. Profundo Mariscal soñaba con lugares lejanos cuando siguió de largo en una curva. La ambulancia se salió del asfalto, cruzó al otro lado de la ruta y volcó en la cuneta. El vehículo dio un vuelco completo, aterrizó sobre sus ruedas y rodó otros cincuenta metros. Paró al borde de una laguna formada por la reciente lluvia torrencial. Todo pasó tan rápido que a Daniel le pareció estar viendo una película; su mente estaba llena de imágenes de autos que explotaban, pero en realidad el motor no largaba humo y todo parecía tan silencioso, tan tranquilo. Salieron los dos de la ambulancia lo más rápido que pudieron.

¿Estaba vivo?

Vio a Profundo parado frente al vehículo, con la cara iluminada por los faros, que seguían prendidos. Daniel se enfureció, enloqueci-

do por la tremenda irresponsabilidad del hombre. Corrió hacia donde
estaba el conductor.

–Hijo de puta, la puta que te parió, ¿cómo te vas a dormir así?
Yo sabía, carajo, yo lo sabía. Pelotudo de mierda.

El hombre seguramente pensó que lo iba a matar.

–Mil disculpas, señor. No podía rechazar la changa, ¿sabe? Estamos desesperados. Tengo un hijo enfermo.

Tenía ganas de pegarle una trompada pero se contuvo. Por un
momento, sintió que, de verdad, podría llegar a matarlo; un segundo
después, sentía lástima por el pobre tipo.

–Huevón hijo de puta, ése no es motivo para que nos matemos
los dos –dijo por fin. Y mirando a la parte trasera de la ambulancia,
donde estaba su padre, agregó–: Además...

Pero no pudo terminar.

Al instante, las luces de la ambulancia se apagaron.

Había bajado la temperatura. El Pampero traía ese frío desde la
Patagonia, cruzaba la llanura pampeana y llegaba hasta las plantaciones de algodón y la selva de quebracho colorado de la provincia
del Chaco. El viento alteraba el estado de ánimo de la gente: los jóvenes amantes sellaban pactos de muerte y los solitarios se ahorca-
ban en medio de la noche.

Profundo Mariscal se había ido en busca de ayuda. Había una
estación de servicio más adelante, la que supuestamente estaba
abierta toda la noche. Profundo intentó tranquilizarlo diciéndole que
conocía bien el lugar; estaban cerca de la provincia de Santa Fe; iba
a llamar a su patrón para pedirle que mandara otra ambulancia.

–Me importa un bledo que mande otra ambulancia, es más importante que mande otro chofer –dijo Daniel. No podían darse el lujo
de sufrir otra calamidad.

No confiaba en el chofer, pero ahí, confundido y perdido como estaba en el medio de la pampa, no le quedaban muchas opciones. Vio
desaparecer a Profundo en medio de la noche. Las luces de los camiones iluminaban de a ratos la ruta. Miró a su alrededor con caute-
la, como si pudiera haber alguien en ese lugar, se bajó los pantalones
y se agachó al lado de la ambulancia. De espaldas al viento, sin poder

ver nada, rogó que no hubiera tarántulas ni yararás. Pero sabía que a pesar de sus esfuerzos por ser racional y compuesto, no podía evitarlo: cada vez que el pasto alto le rozaba la piel, daba un salto. En la oscuridad, agachado cerca de esa ambulancia ahora inútil, trató de imaginar el campo que lo rodeaba. La monotonía de la pampa siempre lo había fascinado. En esa llanura que nunca acababa, hacía tiempo que los árboles habían sido reemplazados por pasto para alimentar el ganado de las estancias. Desde donde estaba, alcanzó a ver la figura de un ombú, ese árbol que ni árbol era, apenas una excrecencia herbácea gigante, un monstruo vegetal que daba mucha sombra pero cuya madera no servía para hacer fuego. En una de sus ramas, adivinó un nido de hornero.

Triste y con frío, declaró:

—Me cago en ustedes, oligarcas de mierda.

Se limpió con pedazos de diario que había encontrado en la cabina de la ambulancia. Ése había sido el método usado normalmente en su casa: tenían un bidet, como casi todo el mundo, pero usaban el *Clarín* del día anterior, siempre a mano en un rincón del baño. Se sonrió pensando en que llegaría a Buenos Aires con el pronóstico meteorológico impreso en su culo. En esa pampa vacía y abierta, creyó percibir el olor inconfundible que dejaba su padre; su presencia en la casa se anunciaba siempre por el particular aroma de su mierda. Solía fumar un par de cigarrillos y leer las noticias del fútbol sentado en el inodoro; después, cuando terminaba, quemaba un trozo de papel. El departamentito quedaba contaminado por esa ceremonia. Eso, y el ruido fuerte de sus pedos en el medio de la noche, habían establecido la incuestionable autoridad de su padre en la familia.

¿Habría un fuego cerca?

Le dieron ganas de estar con su padre, de ver su ataúd. Se limpió las manos frotándoselas en el pasto húmedo. Después, trató de abrir la puerta trasera de la ambulancia; el impacto del golpe la había torcido, era imposible abrirla.

—Te vamos a tener que enterrar con ambulancia y todo, viejo.

Fue hacia la cabina, subió al asiento y forzó las ventanitas con cortinas blancas que separaban la cabina del resto. En el compartimento trasero, el aire estaba viciado: ¿qué le había dado por meterse ahí? El ataúd parecía lo suficientemente seguro, no había nada que chequear. Se sintió inmediatamente oprimido; un ahogo en el pecho lo hizo pensar en el infarto de su padre. Sin sacarle los ojos de encima al ataúd, se sentó en el piso de la ambulancia. Poco a poco lo invadió la tristeza. Lloró y gimió y comenzó a gritar, llamando a su padre: "¡Papito, mi papito". Pronto, sus sentimientos se transformaron en bronca, una furia loca que primero lo hizo patear el ataúd y después, golpearlo con las manos sin dejar de gritar con todas sus fuerzas: "¿Por qué? ¿Por qué te moriste, hijo de puta? ¿Por qué nos dejaste, boludo de mierda? ¿Por qué carajo te fuiste así, tan triste?"

Y para su total sorpresa, le salió un inesperado reclamo de la garganta: "¿Y por qué tuviste que vender lo único que yo tenía, lo único que de verdad quería, mi máquina de escribir? ¿Por qué no me dijiste que andabas tan mal, que no tenías un mango? ¿Por qué me mentiste?"

Daniel no pudo cumplir con la promesa que le había hecho a su padre.

–Si lo entierran en La Chacarita –había dicho tío Gershon–, no cuenten conmigo. Yo no pago –y, cándido y cortante, preguntó–: ¿Acaso voy a pagar para que entierren a uno de nosotros con los *goyim*? Era mi cuñado, es un *Miztvah* para mí, ¿me entendés? Su alma debe descansar en paz en un cementerio judío. Si no, nos va a acechar a todos como un fantasma.

Le costaba aceptarlo, pero en el fondo Daniel se sentía aliviado. ¿De todas formas, qué otras alternativas existían? Tío Gershon pagó lo que se le debía al chofer que había reemplazado a Profundo Mariscal al volante de la nueva ambulancia. Le dio las gracias a su tío; se abrazaron frente a todos los parientes, que habían estado esperando la ambulancia en la puerta de la casa de su madre.

Si eran ricos, los judíos que se morían no tenían necesidad de viajar mucho; los llevaban al cementerio de Liniers. Si eran pobres, había que desplazarse hasta Berazategui. Sería un misterio eterno cómo se las había arreglado su mamá para conseguir un espacio para su padre en La Tablada, otro cementerio caro. Debió de haber ahorrado durante años el vuelto de las compras del mercado de cada día, centavo tras centavo.

En el cementerio, tuvieron que esperar para la purificación del cuerpo antes del entierro, el *taharah*, realizado por tres miembros de la *Chevra Kadisha*. Lavaron el cuerpo de pies a cabeza con agua tibia, incluyendo todos los orificios. Años atrás, uno de sus primos se había inventado historias horrorosas sobre el *taharah*. Daniel sabía ahora que no era cuestión de meterle mangueras en el culo a ningún muerto.

–¿Le sacaste la alianza? –le preguntó su tía Paula. Le dijo que no–. ¡Qué tonto! Ahora se lo van a robar. ¿Vos pensás que *ellos* van a enterrar a los muertos con el oro puesto?

Wanda, hija de San Salvador de Bonfim, ¿dónde estás?

A la distancia, el rabino llamó a Daniel y le hizo señas de que se acercara:

–Que el Omnipresente te reconforte junto con el resto de los dolientes de Zion y Jerusalem.

No respondió; no hubiese sabido cómo hacerlo. ¿Qué se decía en esas circunstancias?

El rabino se dio vuelta y lo invitó a seguirlo. En un cuarto de un edificio a la entrada del cementerio, el cuerpo de su padre muerto yacía en el ataúd, bajo la mortaja, listo para el entierro; tenía la cara cubierta; un *shomer* vigilaba parado junto a él.

–Puse un *tallis* en el ataúd. Hasta un judío no creyente debe tener uno cuando se va de este mundo. Si no, cuando llegue el momento de resucitar, va a parecer un *schlemiel*, ¡Dios no lo permita!, sin un *tallis* con el que cumplir los mandamientos de Dios.

–Le estoy muy agradecido, rabino.

El rabino le pidió que abriera la mano derecha, en la que le puso un puñado de polvo. Al mismo tiempo, el *shomer* descubrió la cara de su padre.

–Tenés que esparcir este polvo del Monte de los Olivos sobre los ojos de tu padre, es un acto de respeto filial: "Del polvo vienes, y al polvo volverás..."

Daniel siguió las instrucciones. Inmediatamente después, otros dos hombres vinieron a cubrir el ataúd. Después, el rabino lo invitó a realizar el *keriah*, el acto de rasgarse las vestiduras, símbolo de un corazón oprimido y destrozado. Daniel no estaba preparado para eso: primero, hizo un pequeño corte en la solapa de su saco con un par de tijeras que le había ofrecido el *shomer*; después, tiró de las dos puntas del corte y los arrancó. Se dio cuenta –quizás por primera vez– de la enormidad de su pérdida. No tenía consuelo: su padre se había ido. Para siempre. Nada podía cambiar su destino, la vida de su padre ya formaba parte del pasado. Lloró con desesperación y en silencio. Esta vez, sin rabia.

Le dieron tiempo para recobrar la calma y después los hombres se llevaron el ataúd. Afuera, se unió a su madre y a sus hermanas, que también tenían que realizar el rito del *keriah*. Vio el miedo en los ojos de sus hermanas, la confusión en los de su madre. Todos se abrazaron y besaron.

La procesión se detuvo varias veces camino a la tumba. Después del entierro, el rabino explicó la tradición: cada parada simbolizaba una etapa de la vida. Un niño de un año era como un rey, querido por todos, mimado por todos. Después, el niño era considerado como un cerdo que se revolcaba en la suciedad. A los diez años, los chicos eran como chivos, indiferentes al daño que podían estar causando. A los veinte, el niño ya se había convertido en un caballo joven, siempre acicalándose, en busca de pareja. Después del casamiento, el pobre tipo se parecía a un burro que llevaba una carga pesada, cargado con la responsabilidad de una esposa. Cuando llegaban los hijos, se lo comparaba a un perro valiente, luchando desesperadamente por mantener a su familia. Su padre se había salvado de la última etapa, la de la vejez, cuando debería haberse vuelto senil y ridículo, como un mono.

Cada vez que se detenía la procesión, podía escuchar a su tío Gershon, en contraste con la voz profunda del cantor recitando los salmos, hablando con el tío Jaime. Sus lamentos eran de este mundo: cómo estaban invadiendo la ciudad los *schwartzers*, ensuciándola y llenándola de violencia; cómo la culpa la había tenido Perón, el que había sido un falso mesías –ahora, años más tarde, todos tenían que pagar por sus errores; cómo los militares estaban castigando a los judíos por crímenes que nunca habían cometido; a cuánto estaba el dólar. Al principio, había tenido ganas de darse vuelta y gritarles que se callaran, pero, después de todo, la vida continuaba. ¿Por qué no?

Bajaron el ataúd lentamente en la fosa. El rabino le dio la pala a Daniel:

–Tres paladas –le indicó–: una para el alma, una para el espíritu, una para el aliento.

Después de completar la tarea, se la pasó a su madre, que a su vez se la pasó a cada una de sus hermanas. Todos los presentes pusieron una palada de tierra y la tumba se fue llenando. El cantor no dejó de entonar plegarias hermosas, profundas, suplicantes. Daniel se sintió transportado, parte de una tradición que no llegaba a comprender.

La tía Paula se había encargado de las negociaciones con los cantores. La mayoría de ellos estaban parados en la entrada al cementerio, a la espera de sus clientes. Ella había elegido a un hombre alto y buen mozo, de barba renegrida, vestido con un saco de corte largo y elegante; parecía un actor de cine. Los honorarios de los cantores se establecían según la longitud del canto. Por primera vez en su vida, tía Paula no regateó. Más tarde, mientras el cantor cumplía con su tarea, los ojos de la tía dejaban entrever un placer que Dios no hubiera sancionado en esas circunstancias.

Se recitó el *Tzidduk Ha-Din*: "El Señor ha concedido y el Señor ha quitado...".

Antes de irse del cementerio, el rabino le pidió a todo el mundo que se lavaran las manos. Después, apartó a Daniel a un lado y le dijo:

–Acordate: no podés usar zapatos de cuero, ni afeitarte, ni cortarte el pelo, ni usar gomina y, por sobre todo –dijo el rabino con su mirada fija en los ojos de Daniel–, por siete días, nada de sexo.

Wanda, por favor, vení y cantame *Antonico*.

Tocá un poco de samba.

Sé dulce conmigo.

Ay, bahiana.

2

Las lluvias intensas provocaban un verdadero caos en Buenos Aires: se inundaban las calles, los colectiveros se ponían frenéticos y los taxistas se volvían locos. Era peligroso caminar por la vereda: uno podía acabar empapado sin piedad por los autos que pasaban, tropezarse con las baldosas flojas o resbalarse en el barro. Con menos suerte, también uno se podía caer en una de las tantas zanjas abiertas por los obreros reparando las calles, las que jamás se molestaban en tapar.

De noche, una vez terminadas las lluvias, la ciudad se transformaba. Una atmósfera especial envolvía los cafés y bares de la calle Corrientes. La gente pasaba la noche reunida alrededor de las mesas de *La Comedia* y *La Paz*, las ventanas abiertas dejando entrar el aire fresco que llegaba desde el río después de la tormenta. Se hablaba sobre literatura y cine, fútbol y pornografía, teatro y política. El París de las Américas. En esa ciudad existía un optimismo que la mufa porteña no había logrado derrotar. El ocio creador era entonces posible.

Luigi y Daniel habían quedado en encontrarse en uno de sus lugares preferidos de la calle Paraná. Previamente a su viaje al Brasil, el primer viernes de cada mes, festejaban la cobranza de su sueldo con una salida al restaurante. Comer bien, ser atendidos por un mozo, poder pagar la cuenta, incluso dar propina, era una ceremonia tonta, pero les renovaban las esperanzas de ser como el resto del mundo: ellos también podían ganarse la vida. Pasaban todo ese día sin comer hasta el momento en que se encontraban. Estudiaban el menú (que ya se sabían de memoria) y terminaban pidiendo siempre lo mismo: ravioles al tuco y pesto, un bife de chorizo (con poca sal pero con un montón de chimichurri), ensalada mixta con cebolla y, de postre, Provolone fresco con dulce de membrillo. Todo iba acompañado por dos litros de vino tinto.

Dos litros, fácil.

Cuando se hablaron por teléfono para arreglar el encuentro, notó que Luigi no sonaba contento. "¿Tendrá a la madre enferma?", se preguntó Daniel. El único comentario que le hizo Luigi fue: "Tengo mucho para contarte."

Luigi ya estaba en la mesa cuando llegó Daniel. Se dieron un apretón de manos y se abrazaron.

–¿Cómo fue? –Luigi hubiese querido volver a Buenos Aires para llegar al velorio, pero al final se había quedado con su madre y Joacaría en Sierra de la Ventana.

–Pues digamos que no fue exactamente un carnaval.

El mozo, un viejo inmigrante húngaro que había logrado escapar milagrosamente del país después del alzamiento del '56, los interrumpió:

–Muchachos, yo no sé por qué insisten en venir a esta pocilga.

–Te queremos, Teodor, ésa es la única razón –bromeó Luigi.

A Teodor se lo veía tan deprimido como siempre. Se inclinó sobre la mesa y dijo en voz baja:

–Las ratas están invadiendo la cocina. Estamos perdiendo la guerra contra ellas.

–Pasa lo mismo en todo el mundo, magyar –le contestó Daniel–. Ahí afuera, también están ganando las ratas.

–No estoy hablando de política, no me interesa esa mierda. Estoy hablando de cosas serias. ¿No me creen? El gerente contrató a una empresa que se especializa en la caza de roedores; éstas son unas bestias enormes y muy rápidas; se cruzan desde el teatro abandonado que está detrás, al fondo de la cocina. Bueno, la cosa es que llenaron primero todo de veneno; dijeron que era infalible, garantizado por un año. ¿Qué pasó? Nuestros dos gatos, nuestra única esperanza en esta agujero de mala muerte, se comieron el veneno y se murieron, los idiotas. ¿Qué quieren que les diga? Para mí que habían decidido suicidarse. Es un mundo injusto, a mí no me van a decir. Bueno, ¿qué van a comer hoy?

Teodor era un baluarte de la industria gastronómica. Hicieron el pedido.

–¡Y traé hielo y soda con el vino! –gritó Daniel cuando el mozo ya se alejaba–. Tengo sed.

–Yo también –agregó Luigi.

–Hoy en el subte me lo encontré a Bernabé Souza, de casualidad –dijo de inmediato Luigi. No habían sabido de él desde el Festival del Escritor en Río. Había sido testigo del desfile de Sócrates vestido como Carmen Miranda y se había quedado fascinado. "¡Es hermosa!", no dejaba de repetir.

–¿Cómo está?

–Está bien, te manda muchos saludos. Estaba especialmente contento porque le publicaron uno de sus poemas en el suplemento literario de *La Nación*. Pero escuchá esto: parece que Sócrates, nuestro amigo espiritista y malandra, se convirtió en un héroe popular. Souza dice que ahora es un líder político de los travestis, va a ser candidato en las elecciones.

–¡No me jodas!

–¡Te lo juro!

–Bueno, en ese país puede pasar cualquier cosa. ¿Extrañás?

–¿Qué? ¿Brasil? Mucho –respondió Luigi.

El restaurante se había llenado con la gente que salía de los cines y de los teatros. El nivel del ruido se había multiplicado.

–Tengo algo mucho más importante que contarte –la voz de Luigi sonó ominosa–. Murió Joacaría.

–¡Puta madre! ¿Cómo murió?

–Es una ironía. El veterinario dijo que el corazón no le dio más.

–No sabía que los animales tenían infartos.

–No fue un infarto; se murió de tristeza. Ya no era el mismo de antes, nunca estuvo contento en la casa de mamá. Creo que adivinó que yo pensaba dejarlo ahí por un tiempo. Ahora me siento terriblemente culpable por haberlo traído, no tendría que haberlo hecho.

El papagayo había sido un buen amigo.

–Lo querías demasiado para dejarlo.

–Sí, pero ahora está clarísimo: tendría que haberse quedado en Río. Fue una crueldad meterlo así de contrabando. Pensé solamente en mí; él hubiera sido feliz con Olinda y su hijo, a orillas del San Francisco –Luigi sentía verdadero remordimiento, la mortificación que siente el deudo de un ser querido. Pero había algo más–: Mirá, te quería decir que no puedo volver a Brasil. Me quedo acá. Bueno, ni siquiera en Buenos Aires. Me voy a Bariloche en un par de días. Un amigo tiene un boliche en San Carlos y me ofreció trabajo de barman. Por lo menos, así me puedo escapar de este manicomio. No me paga mucho, pero el tipo me dijo: "Te vas a poder voltear más minas que Gardel y Frank Sinatra juntos".

Ridículo, ésa no era la razón por la que Luigi había decidido irse, pero entendía su decisión de no volver al Brasil. Le daba tristeza, se iba a sentir solo. En Buenos Aires, la represión se había empezado a sentir más agudamente. Quizás el Sur, después de todo, no era un mal lugar –excepto por los rumores de que los nazis y sus descendientes seguían celebrando el cumpleaños de Hitler todos los años.

Y Daniel, ¿qué iba a hacer? No tenía la menor duda; tenía que quedarse en Buenos Aires, al menos por un tiempo. Ahora era responsable por su madre y por sus hermanas, que se sentirían perdidas sin él.

–Te voy a extrañar.

–Yo también.

–Escribí un poema para mi viejo –dijo Daniel al rato–. Lo traje.

–Dale, leelo.

Según el estado de ánimo, solían leerse sus poemas y cuentos en los bares y restaurantes. Al comienzo de su amistad, les daba un poco de vergüenza y se sentían inhibidos por la presencia de la demás gente en el lugar, pero lo superaron pronto. ¿Qué importaba si los demás los escuchaban? Cuanta más gente, mejor.

... Cómo poder olvidar la alegría de tus ojos que eran iguales que los míos? Cómo poder olvidar aquel tubo de oxígeno y la goma que te entraba insolente en la nariz? Cómo poder olvidar el llanto imposible que le imponías al torturado corazón el abrazo fuerte que me diste la caricia mía que reclamaron tus piernas tus brazos tu espalda secarte la frente tenerte de la mano?...

Después de recitarlo, se quedaron en silencio. Más tarde, Luigi dijo:
—Quiero que me des una copia.
Daniel miró el reloj que estaba en la pared de enfrente: era la una y media de la mañana. Llamaron a Teodor: querían más vino.

Al poco tiempo, Luigi se fue para el sur.
La muerte de su papagayo adorado lo había afectado profundamente. Representó el final de una era: su relación amorosa con Olinda y con Brasil se había terminado. Para él, mudarse a otro lugar lejano y extraño era una manera de curar su pena. Daniel acompañó a Luigi a Plaza Constitución, donde su amigo tomó el tren a Bariloche.
Esa mañana había recibido una postal de Wanda: *"Te di una fuerza superior a mí misma y no sé qué espero de vos. Con todo mi amor, Wanda."* Toda la pasión que había sentido por ella, el recuerdo de un sentimiento temporariamente olvidado, volvieron a acecharlo con una precisión por la que estuvo agradecido. Al contrario de Luigi, a Daniel le quedaba claro que él *tenía* que volver a Brasil. ¿Cómo imaginarse no volver a Wanda?
Las circunstancias de la muerte de Damián lo habían convencido de que las reglas del juego parecían estar cambiando. Siempre habían querido creer que la literatura, tanto como la política, eran armas para combatir la ignorancia, los prejuicios y las injusticias del mundo. Pero la política los aburría y, dado el gobierno represivo bajo

el que ahora vivían, la poesía no bastaba para hacer frente a la bru-
talidad de la policía y de los militares.

En su infancia había vivido con el miedo de que un día vinieran
a llevarse a su papá; él votaba por los radicales, la mayoría de los vecinos parecían ser peronistas. Hasta la hinchada de Boca se conver-
tía en una amenaza cuando empezaban a cantar por Evita y por
Perón: *Salgamos a la cancha con ansias de triunfar...* Cada tanto se
escuchaba alguna historia: que la portera había denunciado al al-
macenero por haber llamado a Evita una puta, que al panadero lo
habían torturado por las actividades de su hijo en la universidad,
que a un dirigente del Partido Socialista lo habían castrado en la cárcel. Muchas veces había escuchado a los adultos hacer chistes sobre
la picana: otro gran invento argentino sin patente. La policía la venía
usando desde los '30 –un gran motivo de orgullo nacional.

Sí, la peligrosa yarará en el medio del campo hubiese sido preferible a las fuerzas del mal y del odio.

"Esto te pasa por bolche, hijo de puta", le decían a Damián mientras lo torturaban. Después, lo tiraron en la Panamericana en medio
de la noche. A la mañana siguiente, lo encontró un grupo de obreros
que estaba reparando unos cables telefónicos al costado de la ruta.
En cuanto descubrió los detalles de la historia, su madre llamó a una
conferencia de prensa. Los diarios apenas hablaron del caso. La policía llegó a sugerir que los responsables habían sido sus mismos camaradas del Partido, que Damián se había peleado con el Comité
Central, que era un Trotskista, que era un delincuente.

¿Qué hacer?

Tuvo la suerte de conseguir un trabajo de encuestas para la
misma empresa en la que había trabajado anteriormente. Lo odiaba.
Tenía que llenar formularios estúpidos sobre gaseosas, preservativos, programas de televisión, dentífricos, máquinas de coser, chicles
con gusto a chocolate. Le pagaban bien: en unos meses, podría ahorrar para comprarse un pasaje de ida a Brasil. De día, iba de barrio
en barrio entrevistando a gente; de noche, pegaba afiches para las
galerías de arte. Estaba decidido a irse lo más pronto posible.

Cuando se enteró a través de un amigo de que Lola se había vuelto adicta, fue inmediatamente a su casa y tiró por el inodoro la morfina y el resto de los remedios de su padre. Aparentemente, Lola había

empezado a inyectarse después de que su hermano menor –quien se había ido a Cuba para trabajar por la revolución– se había suicidado. Pensó en llamarla pero no se le ocurría qué decir. Estaba internada en una clínica privada en Barrancas de Belgrano. Tendría que ir a visitarla.

Ya era medianoche cuando se encontró parado en una esquina del centro. Amenazaba lluvia. Pensó en Lola mientras preparaba la cola para pegar los afiches. Con una brocha gorda, mezcló con gran trabajo la cola en polvo con el agua en una lata de pintura de cinco litros. Se le estaban endureciendo las manos; hacía demasiado frío. Esperaba que no lo corriera la policía, cualquier cosa parecía provocarlos. Una vez, Daniel se había tenido que aguantar una reprimenda de dos policías por besar a Lola frente a la Biblioteca del Maestro: "Es ilegal hacer esto en público, ya lo saben, los podríamos fichar", les habían advertido.

El Bigotudo y la puta que lo parió.

Los afiches que iba a pegar esa noche eran de una exposición de Carlos Alonso, uno sus pintores preferidos. Se imaginó por un instante que lo invitarían a la noche inaugural; podría conocer a todas esa minas tan hermosas, atractivas hijas de la alta burguesía que no pararían de contarle de sus viajes a Europa, los premios en la última Bienal de Venecia, el Festival de Cannes, la temporada de la Ópera en Milán; verdaderos minones que asistían a esos acontecimientos culturales, deseosas de ser seducidas por los artistas de éxito. Era consciente de que les envidiaba su dinero, sus expresiones casuales en francés, sus *Earl Grey* y *Lapsang Souchong*, sus whiskies de malta y sus ropas de Harrods. Se despreciaba a sí mismo por sentir semejante envidia, pero no podía evitarlo. Tenían tanta plata, mientras que él tenía que romperse el culo para poder comprar un mísero pasaje de ida a Río.

Comenzó a bajar por la calle Florida pegando afiches en cuanto espacio disponible había, sobre todo encima de los anuncios previos. ¿Encontraría alguna vez un empleo que le gustara?

De pronto, en una vidriera de una casa de modas bacana algo le llamó la atención. El pájaro estaba posado sobre una pila de monedas de oro falsas, con una leve sonrisa. Era una vidriera ridícula y farsesca: unos piratas británicos traían los últimos diseños de ropa náutica y de sport a las costas argentinas. Era imposible confundir a Joacaría con ningún otro papagayo: ¡era él! Daniel lo reconoció por el color de su plumaje, por su porte –salvo que no sólo lo habían embalsamado, le habían también reemplazado la pata de palo por una de plástico. O quizás, era de cera.

Luigi le había contado que el veterinario de Sierra de la Ventana le había pedido permiso para momificar a Joacaría. Lo había convencido diciéndole que el papagayo era un espécimen muy especial, que era inusual tener acceso a un *Deropytus accipitrinus accipitrinus*. Y además, ¡su cara tenía una expresión tan humana! Los chicos de las escuelas primarias de la zona le iban a estar eternamente agradecidos a Luigi si le permitiría que embalsamaran al papagayo.

Y ahora, ahí estaba, sí, embalsamado para siempre, vendido a un decorador de interiores por buena plata. Probablemente, lo único que les había quedado a los chicos de las escuelas primarias había sido una foto. Aun muerto, Joacaría parecía estar vivo y pasándola bien. Daniel podía imaginarse escuchándolo gritar a través del vidrio: *"Kish me in tujes!"*.

No sabía cuánto tiempo llevaba parado frente a la vidriera, pero cuando finalmente se recuperó de su sorpresa, miró directo a los ojos de vidrio del papagayo momificado y dijo:

–Encantado de verte de nuevo, Joacaría, aunque sea en estas circunstancias.

Y mientras se alejaba de la vidriera, le gritó:

–Por lo menos, aquí vas a ver pasar montones de minas.

Ahora, la lluvia caía sobre las calles desiertas.

Daniel se dijo: "Algunas cosas nunca mueren".

1971

Epílogo que comienza

... años más tarde, en medio de ese recital en el teatro castro alves en bahía cuando caetano estaba terminando *você não entende nada* y chico buarque empezaba con *cotidiano* durante el instante prolongado en que una canción se transformaba en la siguiente y el ritmo impuesto por la guitarra y los tambores estaba volviendo loco al público y la gente bailaba y gritaba y se quedaba después en silencio sin saber por dónde se iban los músicos a dónde los transportarían y la gente bailaba más y gritaba y celebraba caetano repitiendo *eu quero* y chico *todo o dia* sí ahí en ese preciso momento y lugar daniel vio por sobre la multitud de cabezas que saltaban a andrés el que corría salido de la nada gritándole ¡daniel! ¡daniel! ¡carajo! ¡me cago en dios! ¡daniel! te estuve buscando por todos lados en buenos aires en río y en san pablo viejo ¿dónde estabas? y mientras se acercaba ¡vengo a encontrarte acá! ¿sentís la energía que hay en este lugar? qué vibración positiva loco esta música esta locura mirá la cara de toda esta gente hermano qué paz y daniel en realidad no sabía si estaba contento de ver a andrés su viejo amigo de hacía tanto tiempo en buenos aires el que siguió diciendo estuve viviendo en nueva york viejo qué mierda *eso* sí que es grande pero grande de verdad con mayúsculas grandes me partió la cabeza no sabés viejo allá todo el mundo se está volviendo loco con ácido lisérgico y está todo bien viejo y siguió y siguió mientras caetano y chico empezaban con *os argonautas* y daniel quería olvidarse de andrés pero tenía que preguntarle ¿para qué me buscabas? y andrés le dijo ah sí te estuve buscando por todas partes eso ya me lo dijiste si es cierto tenés razón sí quería contarte que vi a allen ginsberg en nueva york ¿y? y leyó el poema para tu padre muerto y de repente paró la música se había terminado el recital pero la gente seguía gritando ¡otra! ¡otra! y caetano y chico reaparecieron en el escenario y la gente se volvió loca tengo que contarte andrés siguió diciendo ginsberg leyó tu poema del ejemplar del libro que le había mandado manuel ¿en castellano? si en castellano viejo no sé si entendió nada pero lo leyó igual y entonces sí daniel supo estaba ahora seguro esa noticia dicha una noche de noviembre tropical en el teatro castro alves de san salvador ese hecho aislado y desconectado del resto de su vida probablemente inventado por andrés para darse importancia y por ende posiblemente irrelevante marcaba para él el final de su juventud.

Se terminó de imprimir en el mes de abril de 2003
en los Talleres Gráficos Nuevo Offset
Viel 1444, Capital Federal
Tirada: 1.500 ejemplares